DU MÊME AUTEUR

Aux Éditions Gallimard

LA PLACE DE L'ÉTOILE, *roman*. Nouvelle édition revue et corrigée en 1995 (« Folio », *n° 698*).

LA RONDE DE NUIT, *roman* (« Folio », *n° 835*).

LES BOULEVARDS DE CEINTURE, *roman* (« Folio », *n° 1033*).

VILLA TRISTE, *roman* (« Folio », *n° 953*).

EMMANUEL BERL, INTERROGATOIRE *suivi de* IL FAIT BEAU ALLONS AU CIMETIÈRE. *Interview, préface et postface de Patrick Modiano* (« Témoins »).

LIVRET DE FAMILLE, *roman* (« Folio », *n° 1293*).

RUE DES BOUTIQUES OBSCURES, *roman* (« Folio », *n° 1358*).

UNE JEUNESSE, *roman* (« Folio Plus », *n° 5*. Contient notes et dossier réalisé par Anne-Marie Macé).

DE SI BRAVES GARÇONS, *roman* (« Folio », *n° 1811*).

QUARTIER PERDU, *roman* (« Folio », *n° 1942*).

DIMANCHES D'AOÛT, *roman* (« Folio », *n° 2042*).

UNE AVENTURE DE CHOURA, *illustrations de Dominique Zehrfuss*. (« Albums Jeunesse »).

UNE FIANCÉE POUR CHOURA, *illustrations de Dominique Zehrfuss*. (« Albums Jeunesse »).

VESTIAIRE DE L'ENFANCE, *roman* (« Folio », *n° 2253*).

VOYAGE DE NOCES, *roman* (« Folio », *n° 2330*).

UN CIRQUE PASSE, *roman* (« Folio », *n° 2628*).

DU PLUS LOIN DE L'OUBLI, *roman* (« Folio », *n° 3005*).

DORA BRUDER, *roman* (« Folio », *n° 3181*).

DES INCONNUES, *roman* (« Folio », *n° 3408*).

LA PETITE BIJOU, *roman* (« Folio », *n° 3766*).

En collaboration avec Louis Malle

LACOMBE LUCIEN, scénario.

(Suite de la bibliographie en fin de volume)

ACCIDENT NOCTURNE

PATRICK MODIANO

ACCIDENT NOCTURNE

roman

nrf

GALLIMARD

Il a été tiré de l'édition originale de cet ouvrage quatre-vingts exemplaires sur vélin pur fil des papeteries Malmenayde numérotés de 1 à 80.

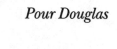

Pour Douglas

Tard dans la nuit, à une date lointaine où j'étais sur le point d'atteindre l'âge de la majorité, je traversais la place des Pyramides vers la Concorde quand une voiture a surgi de l'ombre. J'ai d'abord cru qu'elle m'avait frôlé, puis j'ai éprouvé une douleur vive de la cheville au genou. J'étais tombé sur le trottoir. Mais j'ai réussi à me relever. La voiture avait fait une embardée et elle avait buté contre l'une des arcades de la place dans un bruit de verre brisé. La portière s'est ouverte et une femme est sortie en titubant. Quelqu'un qui se trouvait devant l'entrée de l'hôtel, sous les arcades, nous a guidés dans le hall. Nous attendions, la femme et moi, sur un canapé de cuir rouge tandis qu'il téléphonait au comptoir de la réception. Elle s'était blessée au creux de la joue, sur la pommette et le front, et elle saignait. Un brun massif aux cheveux très courts est entré dans le hall et il a marché vers nous.

Dehors, ils entouraient la voiture dont les portières étaient ouvertes et l'un d'eux prenait des notes comme pour un procès-verbal. Au moment où nous montions dans le car de police secours, je me suis rendu compte que je n'avais plus de chaussure au pied gauche. La femme et moi, nous étions assis, côte à côte, sur la banquette de bois. Le brun massif occupait l'autre banquette en face de nous. Il fumait et nous jetait de temps en temps un regard froid. Par la vitre grillagée, j'ai vu que nous suivions le quai des Tuileries. On ne m'avait pas laissé le temps de récupérer ma chaussure et j'ai pensé qu'elle resterait là, toute la nuit, au milieu du trottoir. Je ne savais plus très bien s'il s'agissait d'une chaussure ou d'un animal que je venais d'abandonner, ce chien de mon enfance qu'une voiture avait écrasé quand j'habitais aux environs de Paris, une rue du Docteur-Kurzenne. Tout se brouillait dans ma tête. Je m'étais peut-être blessé au crâne, en tombant. Je me suis tourné vers la femme. J'étais étonné qu'elle porte un manteau de fourrure.

Je me suis souvenu que nous étions en hiver. D'ailleurs, l'homme, en face de nous, était lui aussi vêtu d'un manteau et moi de l'une de ces vieilles canadiennes que l'on trouvait au marché aux puces. Son manteau de fourrure, elle ne l'avait certainement pas acheté aux puces. Un vison ? Une zibeline ? Son apparence était très soignée, ce qui contrastait avec les blessures de son visage. Sur ma canadienne, un peu plus haut que les poches, j'ai

10

remarqué des taches de sang. J'avais une grande éraflure à la paume de la main gauche, et les taches de sang sur le tissu, ça devait venir de là. Elle se tenait droite mais la tête penchée, comme si elle fixait du regard quelque chose sur le sol. Peut-être mon pied sans chaussure. Elle portait les cheveux mi-longs et elle m'avait semblé blonde dans la lumière du hall.

Le car de police s'était arrêté au feu rouge, sur le quai, à la hauteur de Saint-Germain-l'Auxerrois. L'homme continuait de nous observer, l'un après l'autre, en silence, de son regard froid. Je finissais par me sentir coupable de quelque chose.

Le feu ne passait pas au vert. Il y avait encore de la lumière dans le café, au coin du quai et de la place Saint-Germain-l'Auxerrois où mon père m'avait souvent donné rendez-vous. C'était le moment de s'enfuir. Il suffisait peut-être de demander à ce type, sur la banquette, de nous laisser partir. Mais je me sentais incapable de prononcer la moindre parole. Il a toussé, une toux grasse de fumeur, et j'étais étonné d'entendre un son. Depuis l'accident, un silence profond régnait autour de moi, comme si j'avais perdu l'ouïe. Nous suivions le quai. Au moment où le car de police s'engageait sur le pont, j'ai senti sa main me serrer le poignet. Elle me souriait, comme si elle voulait me rassurer, mais je n'éprouvais aucune crainte. Il me semblait même que nous nous étions déjà trouvés elle et moi ensemble dans d'autres circons-

11

tances, et qu'elle avait toujours ce sourire. Où l'avais-je déjà vue ? Elle me rappelait quelqu'un que j'avais connu il y a longtemps. L'homme, en face de nous, s'était endormi et sa tête avait basculé sur sa poitrine. Elle me serrait très fort le poignet et tout à l'heure, à la sortie du car, on nous attacherait l'un à l'autre par des menottes.

Après le pont, le car a franchi un porche et s'est arrêté dans la cour des urgences de l'Hôtel-Dieu. Nous étions assis dans la salle d'attente, toujours en compagnie de cet homme dont je me demandais quel était le rôle exact. Un policier chargé de nous surveiller ? Pourquoi ? J'aurais voulu lui poser la question, mais je savais d'avance qu'il ne m'entendrait pas. Désormais, j'avais une VOIX BLANCHE. Ces deux mots m'étaient venus à l'esprit, dans la lumière trop crue de la salle d'attente. Nous étions assis, elle et moi, sur une banquette en face du bureau de la réception. Il est allé parler à l'une des femmes qui occupaient ce bureau. Je me tenais tout près d'elle, je sentais son épaule contre la mienne. Lui, il a repris sa place à distance de nous, au bord de la banquette. Un homme roux, les pieds nus, vêtu d'un blouson de cuir et d'un pantalon de pyjama, ne cessait de marcher dans la salle d'attente, en apostrophant les femmes du bureau. Il leur reprochait de se désintéresser de lui. Il passait régulièrement devant nous et il cherchait mon regard. Mais moi j'évitais le sien parce que je craignais qu'il ne me parle. L'une des femmes de la réception s'est dirigée vers lui et l'a poussé doucement vers la sortie. Il est revenu dans la salle d'attente, et cette fois-ci il lançait de longues plaintes, comme un chien qui hurle à la mort. De temps en temps, un homme ou une femme, accompagnés de gardiens de la paix, traversaient rapidement la salle et s'engouffraient dans un couloir en face de nous. Je me demandais vers quoi il pouvait bien mener, ce couloir, et si nous deux, à notre tour, on nous y pousserait tout à l'heure. Deux femmes ont traversé la salle d'attente, entourées de plusieurs agents de police. J'ai compris qu'elles venaient de sortir d'un panier à salade, peut-être le même que celui qui nous avait déposés ici. Elles portaient des manteaux de fourrure, aussi élégants que celui de ma voisine, et elles avaient le même aspect très soigné. Pas de blessures au visage. Mais, chacune, des menottes aux poignets.

Le brun massif nous a fait signe de nous lever et il nous a guidés vers le fond de la salle. J'étais gêné de marcher avec une seule chaussure et je me suis dit qu'il vaudrait mieux enlever l'autre. Je sentais une douleur assez vive à la cheville du pied qui ne portait pas de chaussure.

Une infirmière nous a précédés dans une petite pièce où il y avait deux lits de camp. Nous nous sommes allongés sur ces lits. Un homme jeune est

13

entré. Il était vêtu d'une blouse blanche et portait un collier de barbe. Il consultait une fiche et lui a demandé son nom. Elle a répondu : Jacqueline Beausergent. Il m'a demandé mon nom, à moi aussi. Il a examiné mon pied sans chaussure, puis la jambe en relevant le pantalon jusqu'au genou. Elle, l'infirmière l'a aidée à quitter son manteau et lui a nettoyé, avec du coton, les blessures qu'elle avait au visage. Puis ils sont partis en laissant une veilleuse allumée. La porte était grande ouverte et, dans la lumière du corridor, l'autre faisait les cent pas. Il reparaissait dans l'encadrement de la porte avec une régularité de métronome. Elle était allongée à côté de moi, le manteau de fourrure sur elle, comme une couverture. Il n'y aurait pas eu la place pour une table de nuit, entre les deux lits. Elle a tendu le bras vers moi et elle m'a serré le poignet. J'ai pensé aux menottes que portaient les deux femmes tout à l'heure et, de nouveau, je me suis dit qu'ils finiraient par nous en mettre à nous aussi.

Dans le corridor, il a cessé de faire les cent pas. Il parlait à voix basse avec l'infirmière. Celle-ci est entrée dans la chambre suivie du jeune homme au collier de barbe. Ils ont allumé la lumière. Ils se tenaient debout, à mon chevet. Je me suis tourné vers elle et, sous le manteau de fourrure, elle a eu un haussement d'épaules, comme si elle voulait me signifier que nous étions pris au piège et que nous ne pouvions plus nous échapper. Le brun massif

14

demeurait immobile, les jambes légèrement écartées, les bras croisés, dans l'encadrement de la porte. Il ne nous quittait pas du regard. Sans doute se préparait-il à nous barrer le passage au cas où nous aurions tenté de sortir de cette chambre. Elle m'a souri, de nouveau, de ce sourire un peu ironique qu'elle avait eu, tout à l'heure, dans le panier à salade. Je ne sais pas pourquoi, ce sourire m'a inquiété. Le type au collier de barbe et à la blouse blanche se penchait vers moi et, aidé par l'infirmière, il m'appliquait sur le nez une sorte de grosse muselière noire. J'ai senti l'odeur de l'éther avant de perdre connaissance.

*

De temps en temps, j'essayais d'ouvrir les yeux, mais je retombais dans un demi-sommeil. Puis je me suis rappelé vaguement l'accident et j'ai voulu me retourner pour vérifier si elle occupait toujours l'autre lit. Mais je n'avais pas la force de faire le moindre geste et cette immobilité me procurait une sensation de bien-être. Je me suis souvenu aussi de la grosse muselière noire. C'était sans doute l'éther qui m'avait mis dans cet état. Je faisais la planche et me laissais dériver dans le courant d'une rivière. Son visage m'est apparu avec précision, comme une grande photo anthropométrique : l'arc régulier des sourcils, les yeux clairs, les cheveux blonds, les blessures sur le front, aux pommettes et au creux de la joue. Dans mon demi-sommeil, le brun massif me tendait la photo en me demandant « si je connaissais cette personne ». J'étais étonné de l'entendre parler. Il répétait sans cesse la question avec la voix métallique de l'horloge parlante. À force de scruter ce visage, je me disais que oui, je connaissais cette « personne ». Ou alors, j'avais croisé quelqu'un qui lui ressemblait. Je ne ressentais plus la douleur à mon pied gauche. Je portais, ce soir-là, mes vieux mocassins à semelles de crêpe et au cuir très rigide, dont j'avais fendu le haut à l'aide d'un ciseau, parce qu'ils étaient trop étroits et me faisaient mal au cou-de-pied. J'ai pensé à cette chaussure que j'avais perdue, cette chaussure oubliée au milieu du trottoir. Sous le choc de l'accident, le souvenir du chien qui s'était fait écraser il y a longtemps m'était revenu en mémoire, et à présent je revoyais l'avenue en pente, devant la maison. Le chien s'échappait pour rejoindre un terrain vague, au bas de l'avenue. J'avais peur qu'il ne se perde, et je le guettais de la fenêtre de ma chambre. C'était souvent le soir, et chaque fois il remontait lentement l'avenue. Pourquoi cette femme était-elle maintenant associée à une maison où j'avais passé quelque temps dans mon enfance ?

De nouveau, j'entendais l'autre me poser la question : « Connaissez-vous cette personne ? » et sa voix était de plus en plus douce, elle devenait un chuchotement, comme s'il me parlait à l'oreille. Je continuais à faire la planche, je me laissais dériver dans le courant d'une rivière qui était peut-être celle le long de laquelle nous allions nous promener avec le chien. Des visages m'apparaissaient au fur et à mesure, et je les comparais avec la photo anthropométrique. Mais oui, elle avait une chambre, au premier étage de la maison, la dernière, au bout du couloir. Le même sourire, les mêmes cheveux blonds mais coiffés un peu plus longs. Une cicatrice lui barrait la pommette gauche, et je comprenais brusquement pourquoi j'avais cru la reconnaître dans le car de police secours : à cause des blessures qu'elle portait sur le visage et qui m'avaient sans doute évoqué cette cicatrice, sans que je m'en rende bien compte sur le moment.

Lorsque j'aurais la force de me retourner du côté de l'autre lit où elle était allongée, je tendrais le bras et j'appuierais ma main sur son épaule pour la réveiller. Elle devait toujours être enveloppée dans son manteau de fourrure. Je lui poserais toutes ces questions. Je saurais enfin qui elle était exactement.

Je ne voyais pas grand-chose de la chambre. Le plafond blanc et la fenêtre, en face de moi. Ou plutôt une baie vitrée à droite de laquelle oscillait une branche d'arbre. Et le ciel bleu derrière la vitre, d'un bleu si pur que dehors j'imaginais une belle journée d'hiver. J'avais l'impression de me trouver dans un hôtel de montagne. Quand je pourrais me lever et marcher jusqu'à la fenêtre, je m'apercevrais qu'elle donnait sur un champ de neige, peut-être le départ des pistes de ski. Je ne me laissais plus porter par le courant d'une rivière, mais je glissais sur la neige, une pente douce qui n'en finissait pas, et l'air que je respirais avait une fraîcheur d'éther.

La chambre paraissait plus grande que celle d'hier soir à l'Hôtel-Dieu, mais surtout je n'avais remarqué aucune baie vitrée, pas la moindre fenêtre dans cette sorte de cagibi où l'on nous avait entraînés après la salle d'attente. J'ai tourné la tête. Pas de lit de camp, personne d'autre que moi ici. On avait dû lui donner une chambre voisine de la mienne et bientôt j'aurais de ses nouvelles. Le brun massif, dont je craignais qu'il ne nous attache l'un à l'autre par des menottes, n'était sans doute pas un policier comme je le croyais et nous n'avions aucun compte à lui rendre. Il pouvait me poser toutes les questions qu'il voulait, l'interrogatoire durer des heures et des heures, je ne me sentais plus coupable de rien. Je glissais sur la neige et l'air froid me causait une légère euphorie. Cet accident de la nuit dernière n'était pas le fait du hasard. Il marquait une cassure. C'était un choc bénéfique, et il s'était produit à temps pour me permettre de prendre un nouveau départ dans la vie.

La porte était à ma gauche, après la petite table de nuit en bois blanc. Sur celle-ci, on avait posé mon portefeuille et mon passeport. Et sur la chaise métallique, contre le mur, j'ai reconnu mes vête-ments. Au pied de la chaise, mon unique chaussure. J'entendais des voix derrière la porte, les voix d'un homme et d'une femme qui se répondaient dans une conversation paisible. Je n'avais vraiment pas envie de me lever. Je voulais prolonger, le plus long-temps possible, ce répit. Je me suis demandé si j'étais toujours à l'Hôtel-Dieu, mais j'avais l'impres-sion que non, à cause du silence autour de moi, à peine troublé par ces deux voix rassurantes derrière la porte. Et la branche oscillait dans l'encadrement de la fenêtre. On viendrait tôt ou tard me rendre visite et me donner des explications. Et je n'éprou-vais aucune inquiétude, moi qui n'avais jamais cessé d'être sur le qui-vive. Peut-être devais-je ce brusque apaisement à l'éther que l'on m'avait fait respirer la nuit dernière, ou à une autre drogue qui avait calmé la douleur. En tout cas, le poids que j'avais toujours senti peser sur moi n'existait plus. Pour la première fois de ma vie, j'étais léger et insouciant, et c'était cela ma vraie nature. Le ciel bleu à la fenêtre m'évoquait un mot : ENGADINE. J'avais tou-jours manqué d'oxygène, et cette nuit un mysté-rieux docteur, après m'avoir examiné, avait compris qu'il fallait d'urgence que je parte en ENGADINE.

J'entendais leur conversation derrière la porte et la présence de ces deux personnes invisibles et inconnues me rassurait. Peut-être restaient-elles là pour veiller sur moi. De nouveau, la voiture surgissait de l'ombre, me frôlait et s'écrasait contre les arcades, la portière s'ouvrait et elle sortait en titubant. Quand nous étions sur le canapé du hall de l'hôtel, et jusqu'au moment où elle m'avait serré le poignet dans le panier à salade, j'avais pensé qu'elle était ivre. Un accident banal, de ceux dont on dit, au commissariat de police, que la personne conduisait « en état d'ébriété ». Mais maintenant, j'étais sûr qu'il s'agissait de tout autre chose. C'était comme quelqu'un qui aurait veillé sur moi sans que je le sache ou que le hasard aurait mis sur ma route pour me protéger. Et cette nuit-là, le temps pressait. Il fallait me sauver d'un danger, ou me donner un avertissement. Une image m'est revenue en mémoire, sans doute à cause de ce mot : ENGADINE. J'avais vu, quelques années auparavant, un type dévaler à ski une pente très raide, se jeter délibérément contre le mur d'un chalet et se casser la jambe pour ne pas partir à la guerre, celle que l'on appelait d'« Algérie ». En somme, il voulait sauver sa vie, ce jour-là. Moi, apparemment, je n'avais même pas une jambe cassée. Grâce à elle, je m'en étais sorti à bon compte. Ce choc était nécessaire. Il me permettait de réfléchir à ce qu'avait été ma vie, jusque-là. J'étais bien obligé d'admettre que je « courais à la catastrophe » — selon l'expression que j'avais entendue à mon sujet.

Encore une fois mon regard s'est posé sur la chaussure, au bas de la chaise, ce gros mocassin que j'avais fendu en son milieu. Ils avaient dû être surpris quand ils me l'avaient enlevé, avant de me mettre dans ce lit. Ils avaient eu la gentillesse de le ranger avec mes vêtements et de me prêter ce pyjama que je portais maintenant, bleu à rayures blanches. D'où venait tant de sollicitude ? C'était elle, sans doute, qui leur avait donné des instructions. Je ne pouvais détacher les yeux de cette chaussure. Plus tard, quand ma vie aurait pris un cours nouveau, il faudrait toujours qu'elle restât à la portée de mon regard, bien en évidence sur une cheminée ou dans une boîte vitrée, en souvenir du passé. Et à ceux qui voudraient en savoir plus sur cet objet, je répondrais que c'était la seule chose que mes parents m'avaient léguée ; oui, aussi loin que je remontais dans mes souvenirs, j'avais toujours marché avec une seule chaussure. À cette pensée, j'ai fermé les yeux et le sommeil est venu dans un fou rire silencieux.

*

Une infirmière m'a réveillé avec un plateau dont elle m'a dit que c'était le petit déjeuner. Je lui ai demandé où je me trouvais exactement et elle a paru étonnée de mon ignorance. À la clinique Mirabeau. Quand j'ai voulu savoir l'adresse de cette clinique, elle ne m'a pas répondu. Elle me considérait avec un sourire incrédule. Elle pensait que je me moquais d'elle. Puis elle a consulté une fiche qu'elle avait sortie de la poche de sa blouse et m'a dit que je devais « quitter les lieux ». Je lui ai répété : Quelle clinique ? Le sol tanguait, comme dans mon sommeil. J'avais rêvé que j'étais prisonnier d'un cargo, en pleine mer. J'avais hâte de retrouver la terre ferme. Clinique Mirabeau, rue Narcisse-Diaz. Je n'ai pas osé lui demander dans quel quartier était cette rue. Près de l'Hôtel-Dieu ? Elle avait l'air pressée et elle a refermé la porte sans me donner d'autres détails. Ils m'avaient fait un bandage à la cheville, au genou, au poignet et à la main. Je ne pouvais pas plier la jambe gauche, mais j'ai réussi à m'habiller. J'ai mis mon unique chaussure en me disant qu'il serait difficile de marcher dans la rue, mais il y aurait bien une station de bus ou de métro dans les environs et je serais tout de suite chez moi. J'ai décidé de m'allonger de nouveau sur le lit. J'éprouvais toujours ce sentiment de bien-être. Durerait-il encore longtemps ? Je craignais qu'il ne disparaisse à la sortie de la clinique. En contemplant le ciel bleu dans l'encadrement de la fenêtre, je me persuadais que c'était bien à la montagne que l'on m'avait transporté. J'avais évité d'aller à la fenêtre, de peur d'être déçu. Je voulais garder le plus longtemps possible l'illusion que cette clinique Mirabeau se trouvait dans une station de sports d'hiver de l'Engadine. La porte s'est ouverte et l'infirmière est apparue. Elle portait un sac de plastique qu'elle a posé sur la table de nuit et elle est sortie, sans un mot, en coup de vent. Le sac contenait la chaussure que j'avais perdue. Ils s'étaient donné la peine d'aller la chercher, là-bas, sur le trottoir. Ou alors c'était elle qui le leur avait demandé. Une telle attention à mon égard me surprenait. Maintenant, plus rien ne m'empêchait de « quitter les lieux » — comme l'avait dit l'infirmière. J'avais envie de marcher à l'air libre.

Je boitais un peu en descendant le grand escalier et je tenais la rampe. Dans le hall d'entrée, je m'apprêtais à sortir par la porte vitrée dont l'un des battants était ouvert, quand j'ai aperçu le brun massif. Il était assis sur une banquette. Il m'a fait un signe du bras et il s'est levé. Il portait le même manteau que l'autre nuit. Il m'a guidé jusqu'au bureau de la réception. On m'a demandé mon nom. L'autre se tenait à côté de moi, comme pour mieux surveiller mes gestes, et je comptais bien lui fausser compagnie. Le plus vite possible. Là, dans ce hall plutôt que dans la rue. La femme de la réception m'a donné une enveloppe cachetée sur laquelle était écrit mon nom.

Puis elle m'a fait signer une fiche de sortie et elle m'a tendu une autre enveloppe, celle-ci à l'en-tête de la clinique. Je lui ai demandé si je devais payer quelque chose, mais elle m'a dit que la note était réglée. Par qui ? De toute façon, je n'aurais pas eu assez d'argent. Au moment où je m'apprêtais à traverser le hall en direction de la sortie, le brun massif m'a prié de m'asseoir avec lui sur la banquette. Il m'adressait un vague sourire et j'ai pensé que ce type ne m'était pas forcément hostile. Il m'a présenté deux feuilles de papier pelure où un texte était tapé à la machine. Le « compte rendu » — je me souviens encore de ce mot qu'il avait employé —, oui, le « compte rendu » de l'accident. Il fallait encore que je signe, au bas de la feuille, et il a sorti de la poche de son manteau un stylo dont il a ôté lui-même le capuchon. Il m'a dit que je pouvais lire le texte avant de signer, mais j'avais trop hâte de me retrouver à l'air libre. J'ai signé le premier feuillet. Pour l'autre, ce n'était pas la peine, il s'agissait d'un double que je devais garder. Je l'ai plié et l'ai enfoncé dans la poche de ma canadienne, puis je me suis levé.

Il m'a emboîté le pas. Peut-être voulait-il, de nouveau, me faire monter dans un panier à salade, où je la retrouverais, elle, assise à la même place que l'autre nuit ? Dehors, dans la petite rue qui rejoignait le quai, il n'y avait qu'une seule voiture en stationnement. Un homme se tenait au volant. Je cherchais les mots pour prendre congé. Si je le quittais brutalement, il jugerait mon comportement suspect et je risquais de l'avoir encore sur le dos. Alors, je lui ai demandé qui était cette femme de l'autre nuit. Il a haussé les épaules et m'a dit que je le verrais bien sur le « compte rendu », mais qu'il valait mieux

24

pour moi et pour tout le monde que j'oublie cet accident. En ce qui le concernait l'« affaire était classée » et il espérait vraiment qu'il en était de même pour moi. Il s'est arrêté à la hauteur de la voiture et m'a demandé, d'un ton froid, si je n'avais pas trop de mal à marcher, et si je désirais qu'il me « dépose » quelque part. Non, ce n'était pas la peine. Alors, sans me dire au revoir, il est monté à côté du chauffeur, il a claqué la portière assez brutalement et la voiture s'est dirigée vers le quai.

*

Il faisait doux, une journée d'hiver ensoleillée. Je n'avais plus la notion du temps. Ce devait être le début de l'après-midi. Ma jambe gauche me gênait un peu. Des feuilles mortes sur le trottoir. J'ai rêvé que j'allais déboucher sur une allée forestière. Je n'avais plus en tête le mot « Engadine », mais celui encore plus doux et plus profond de Sologne. J'ai ouvert l'enveloppe. Elle contenait une liasse de billets de banque. Sans le moindre mot, la moindre explication. Je me suis demandé pourquoi tout cet argent. Peut-être avait-elle remarqué le mauvais état de ma canadienne et de mon unique chaussure. Avant ces mocassins fendus, j'avais utilisé une paire de grosses godasses à lacets et à semelles de crêpe, que je portais même en été. Et voilà au moins le troisième hiver que je mettais cette vieille canadienne. J'ai sorti de ma poche la fiche que j'avais signée. Un procès-verbal ou plutôt un résumé de l'accident. Ce papier n'avait aucun en-tête d'une quelconque police, ni l'aspect d'un formulaire administratif. «... La nuit... une automobile de marque Fiat, couleur vert d'eau... immatriculée... venant des jardins du Carrousel et s'engageant place des Pyramides... Amenés l'un et l'autre dans le hall de l'hôtel Régina... Hôtel-Dieu, service des urgences... Pansements à la jambe et au bras... » Il n'était pas question de la clinique Mirabeau, et je me demandais quand et comment ils m'y avaient transporté. Mon nom et mon prénom figuraient dans ce résumé des faits, et aussi ma date de naissance et mon ancienne adresse. Ils avaient certainement trouvé toutes ces indications sur mon vieux passeport. Son nom et son prénom à elle étaient mentionnés : Jacqueline Beausergent, et aussi son adresse : square de l'Alboni, mais ils avaient oublié de préciser le numéro. Je n'avais jamais eu entre les mains une somme aussi importante. J'aurais préféré un mot de sa part, mais sans doute n'était-elle pas en état de l'écrire, après l'accident. J'ai supposé que le brun massif s'était occupé de tout. Son mari, peut-être. J'essayais de me souvenir à quel moment il était apparu. Elle était seule dans la voiture. Plus tard, il marchait vers nous, dans le hall de l'hôtel, quand nous attendions assis l'un à côté de l'autre, sur le canapé. Certainement, ils avaient voulu me dédommager pour mes blessures et ils s'étaient sentis coupables à la pensée que l'accident aurait pu être beaucoup plus grave. J'aurais aimé les rassurer. Non, aucun souci à se faire à mon sujet. L'enveloppe à l'en-tête de la clinique contenait une ordonnance signée par un « docteur Besson » prescrivant que je devais changer mes « pansements » régulièrement. J'ai encore compté les billets de banque. Plus de soucis matériels pendant longtemps. Je me suis souvenu de ces dernières rencontres, vers dix-sept ans, avec mon père au cours desquelles je n'osais pas lui demander un peu d'argent. La vie nous avait déjà séparés et nous nous donnions rendez-vous dans des cafés, très tôt le matin, quand il faisait encore noir. Il portait des costumes aux revers de plus en plus élimés, et les cafés étaient chaque fois plus loin du centre. J'essayais de me souvenir si, par hasard, il m'avait donné rendez-vous dans ce quartier où je marchais.

J'ai sorti de ma poche le « compte rendu » que j'avais signé. Elle habitait donc square de l'Alboni. Je connaissais cet endroit pour être souvent descendu à la station de métro toute proche. Aucune importance si le numéro manquait. Avec le nom : Jacqueline Beausergent, je me débrouillerais. Ce square de l'Alboni était un peu plus bas, au bord de la Seine. J'étais maintenant dans son quartier. Et voilà pourquoi on m'avait transporté à la clinique Mirabeau. Elle la connaissait, sans doute, oui, c'était elle qui avait pris cette initiative. Ou quelqu'un de son entourage était venu nous chercher à l'Hôtel-Dieu. Dans une ambulance ? Je m'étais dit qu'à la prochaine cabine téléphonique, je consulterais le bottin par rues ou j'appellerais les Renseignements. Mais rien ne pressait. J'avais tout le temps devant moi pour trouver son adresse exacte et lui rendre une visite. C'était légitime de ma part et elle ne pourrait pas s'en offusquer. Je n'avais jamais sonné à la porte de gens que je ne connaissais pas, mais là, il y avait certains détails à mettre au clair. Ne serait-ce que cette liasse de billets dans une enveloppe, sans un mot, comme une aumône que l'on aurait jetée à un mendiant. On renverse quelqu'un, la nuit, en voiture et on lui fait porter un peu d'argent, au cas où il serait devenu infirme. D'abord, je ne voulais pas de cet argent. Je n'avais jamais compté sur personne et j'étais bien persuadé, en ce temps-là, que je n'avais besoin de personne. Mes parents eux-mêmes ne m'avaient été d'aucun recours et les rares rendez-vous que mon père me donnait dans les cafés s'achevaient toujours de la même façon : nous nous levions et nous nous serrions la main. Et, chaque fois, je n'avais pas eu le courage de lui mendier le moindre argent. Surtout vers la fin, porte d'Orléans, où il ne lui restait plus rien de la vivacité et du charme qui étaient encore les siens sur les Champs-Élysées. Un matin, j'avais remarqué qu'il manquait des boutons à son pardessus bleu marine.

J'étais tenté de suivre le quai jusqu'au square de l'Alboni. À chaque immeuble, je demanderais au concierge l'étage où habitait Jacqueline Beausergent. Il ne devait pas y avoir beaucoup de numéros. Je me suis souvenu de la manière dont elle m'avait serré le poignet et de son sourire ironique, comme s'il y avait entre nous une connivence. Il valait mieux d'abord téléphoner. Et ne pas précipiter les choses. Je retrouvais cette curieuse impression qui était la mienne pendant le trajet en panier à salade jusqu'à l'Hôtel-Dieu, d'avoir déjà vu ce visage quelque part. Avant de connaître son numéro de téléphone, je ferais peut-être un effort de mémoire. Les choses étaient encore simples à cette époque, je n'avais pas la plus grande partie de ma vie derrière moi. Il suffisait de remonter le cours de quelques années. Qui sait ? Une certaine Jacqueline Beausergent, ou la même personne sous un autre nom, avait déjà croisé mon chemin. J'avais lu que le hasard ne produit qu'un nombre assez limité de rencontres. Les mêmes situations, les mêmes visages reviennent, et l'on dirait les fragments de verre coloriés des kaléidoscopes, avec ce jeu de miroir qui donne l'illusion que les combinaisons peuvent varier jusqu'à l'infini. Mais elles sont plutôt limitées, les combinaisons. Oui, j'avais dû lire ça quelque part, ou bien le docteur Bouvière nous l'avait-il expliqué, un soir, dans un café. Mais il m'était diffi-cile de me concentrer longtemps sur ces questions, je ne m'étais jamais senti la tête philosophique. Brusquement, je n'avais pas envie de traverser le pont de Grenelle, de me retrouver sur la rive gauche et de rejoindre, par une ligne de métro ou d'autobus, ma chambre, rue de la Voie-Verte. Je comptais me promener encore un peu, par ici. Il fallait bien que je m'habitue à marcher, avec mes pansements sur la jambe. Je me sentais bien, là, dans le quartier de Jacqueline Beausergent. Il me semblait même que l'air y était plus léger à respirer.

Avant l'accident, j'habitais depuis près d'un an l'hôtel de la rue de la Voie-Verte du côté de la porte d'Orléans. Longtemps, j'ai voulu oublier cette période de ma vie, ou bien ne me rappeler que les détails en apparence insignifiants. Il y avait un homme, par exemple, que je croisais souvent, vers six heures du soir, et qui rentrait sans doute de son travail. De lui, il ne me reste plus que le souvenir d'une serviette noire et de sa démarche lente. Un soir, dans le grand café, en face de la Cité universitaire, j'avais engagé la conversation avec mon voisin dont je m'étais dit qu'il devait être étudiant. Mais il travaillait dans une agence de voyages. Il était malgache et j'ai découvert son nom avec un numéro de téléphone sur une carte, parmi de vieux papiers dont je voulais me débarrasser. Il s'appelait Katz-Kreutzer. Je ne sais rien de lui. D'autres détails... Il s'agissait toujours de gens que j'avais croisés et à peine entrevus, et qui resteraient des énigmes pour moi. De lieux, aussi… Un petit restaurant où je dînais parfois avec mon père vers le haut de l'avenue Foch, à gauche, et que j'ai cherché vainement plus tard quand je traversais par hasard ce quartier. Avais-je rêvé ? Des maisons de campagne chez des gens dont je ne savais plus les noms, près de villages qu'il m'aurait été impossible d'indiquer sur la carte ; une Évelyne que j'avais connue dans un train de nuit… J'ai même commencé à dresser une liste — avec les dates approximatives — de tous ces visages et ces lieux perdus, de ces projets abandonnés : un jour, j'avais décidé de m'inscrire à la faculté de méde-cine, mais cette résolution n'avait pas tenu. En m'efforçant de récapituler ce qui n'avait pas eu pour moi de lendemain et qui était demeuré en sus-pens, je cherchais une trouée, des lignes de fuite. C'est que j'arrive à l'âge où la vie se referme peu à peu sur elle-même.

J'essaie de retrouver les couleurs et l'atmosphère de cette saison où j'habitais près de la porte d'Or-léans. Des couleurs grises et noires, une atmosphère qui me semble étouffante rétrospectivement, un automne et un hiver perpétuels. Était-ce un hasard si j'avais échoué dans la zone où mon père m'avait donné un dernier rendez-vous ? Sept heures précises du matin, café de La Rotonde, au pied de l'un de ces immeubles de brique qui forment des blocs et mar-quent la limite de Paris. Là-bas, Montrouge et un tronçon du périphérique que l'on venait de construire. Nous n'avions pas grand-chose à nous dire et je savais que nous ne nous reverrions plus. Nous nous sommes levés et, sans nous serrer la main, nous sommes sortis ensemble du café de La Rotonde. J'ai été surpris de le voir s'éloigner dans son pardessus bleu marine vers le périphérique. Je me demande encore dans quelle lointaine banlieue ses pas l'entraînaient. Oui, aujourd'hui, je suis frappé par cette coïncidence : avoir habité pendant quelque temps ce quartier où nous nous retrouvions, les dernières fois. Mais sur le moment, je n'y avais pas pensé du tout. J'avais d'autres préoccupations.

Le docteur Bouvière lui aussi aura été un visage fugitif de cette époque. Je me demande s'il est encore vivant. Peut-être a-t-il trouvé, sous un autre nom, dans une ville de province, de nouveaux disciples. Hier soir, le souvenir de cet homme m'a causé un rire nerveux que j'avais de la peine à réprimer. Avait-il vraiment existé ? N'avait-il pas été un mirage causé par le manque de sommeil, l'habitude de sauter des repas et d'absorber de mauvaises drogues ? Mais non. Trop de détails, trop de points de repère me prouvaient qu'un docteur Bouvière, à cette époque-là, avait bel et bien tenu ses assises dans les cafés du quatorzième arrondissement.

Nos chemins s'étaient croisés quelques mois avant que j'aie eu cet accident. Et je dois avouer qu'à l'Hôtel-Dieu, au moment où ils m'avaient appliqué la muselière noire sur le visage pour me faire respirer de l'éther et m'endormir, j'avais pensé à Bouvière à cause de son titre de « Docteur ».

J'ignore à quoi correspondait ce titre, s'il était l'un de ses grades universitaires ou s'il avait sanctionné des études de médecine. Je crois que Bouvière jouait de cette confusion pour bien suggérer que son « enseignement » couvrait de vastes domaines, y compris la médecine.

La première fois que je l'avais vu, ce n'était pas vers Montparnasse quand il tenait ses réunions. Mais de l'autre côté de Paris, sur la rive droite. Exactement au coin des rues Pigalle et de Douai, dans ce café qui s'appelait Le Sans Souci. Il faut que j'indique ce que je faisais là, quitte à revenir un jour plus longtemps sur ce sujet. Je fréquentais certains quartiers de Paris, à l'exemple d'un écrivain français nommé le « spectateur nocturne ». La nuit, dans les rues, j'avais l'impression de vivre une seconde vie plus captivante que l'autre, ou, tout simplement, de la rêver.

Il était environ huit heures du soir, l'hiver, et autour de moi il n'y avait pas grand monde. Mon attention avait été attirée par un couple assis à l'une des tables : lui, les cheveux courts et argentés, la quarantaine, un visage osseux et des yeux clairs. Il n'avait pas quitté son pardessus ; elle, une blonde du même âge. Elle paraissait diaphane, mais les traits de son visage exprimaient de la dureté. Elle lui parlait d'une voix grave, presque masculine, et les quelques phrases qu'il m'arrivait de capter, on aurait dit qu'elle les lisait, tant sa diction était nette.

Mais je ne sais quoi dans son allure s'harmonisait bien avec le quartier Pigalle de cette époque. Oui, j'avais supposé d'abord que ce couple était propriétaire d'une des boîtes de nuit des environs. Ou plutôt, elle seule, avais-je pensé. L'homme devait se tenir en retrait. Il l'écoutait parler. Il avait sorti de sa poche un fume-cigarette et j'avais été frappé de la préciosité avec laquelle il l'avait mis à sa bouche en faisant un léger mouvement du menton. Au bout d'un certain temps, la femme s'était levée et lui avait dit de sa voix bien timbrée en détachant les syllabes : « La prochaine fois, vous penserez à mes recharges », et cette phrase m'avait intrigué. Elle avait été prononcée d'un ton sec, presque méprisant, et l'autre avait hoché docilement la tête. Puis elle avait quitté le café d'un pas assuré, sans se retourner, et il paraissait contrarié. Je l'avais suivie du regard. Elle portait un imperméable doublé de fourrure. Elle avait pris la rue Victor-Massé sur le trottoir de gauche et je m'étais demandé si elle allait entrer au Tabarin. Mais non. Elle avait disparu. Dans l'hôtel, un peu plus bas ? Après tout, elle aurait pu diriger un hôtel, aussi bien qu'un cabaret ou qu'une parfumerie. Lui, il demeurait à sa table, tête basse, pensif, le fume-cigarette pendant au coin des lèvres, comme s'il venait de recevoir un coup. Sous la lumière du néon, son visage était recouvert d'un voile de sueur et d'une sorte de graisse grise que j'avais souvent remarqués chez les hommes que les femmes font souffrir. Il s'est levé à son tour. Il était de haute taille, le dos légèrement voûté. À travers la vitre, je le voyais descendre la rue Pigalle, d'une démarche de somnambule. Telle avait été ma première rencontre avec le docteur Bouvière. La seconde, ce fut une dizaine de jours plus tard, dans un autre café, du côté de Denfert-Rochereau. Paris est une grande ville, mais je crois que l'on peut y rencontrer plusieurs fois la même personne et souvent dans les lieux où cela paraîtrait le plus difficile : le métro, les boulevards... Une, deux, trois fois, on dirait que le destin — ou le hasard — insiste, voudrait provoquer une rencontre et orienter votre vie vers une nouvelle direction, mais souvent vous ne répondez pas à l'appel. Vous laissez passer ce visage qui restera pour toujours inconnu et vous en éprouvez un soulagement, mais aussi un remords.

J'étais entré dans ce café pour acheter des cigarettes et il y avait la queue devant le comptoir. La pendule, tout au fond, indiquait sept heures du soir. Au-dessous de celle-ci, à une table, au milieu de la banquette de moleskine rouge, j'ai reconnu Bouvière. Il était entouré par plusieurs personnes, mais elles occupaient des chaises. Bouvière, seul, était assis sur la banquette, comme si cette place plus confortable lui revenait de droit. La graisse grise et la sueur avaient disparu de son visage, et le fume-cigarette ne pendait plus au coin de ses lèvres. Ce n'était plus le même homme. Cette fois-ci, il parlait, il avait même l'air de tenir une conférence que les autres écoutaient religieusement. L'un d'eux couvrait de notes un grand cahier d'écolier. Des filles et des garçons. Je ne sais pas quelle curiosité m'a pris, sans doute le désir de répondre, ce soir-là, à la question que je me posais : Comment un homme peut-il changer à ce point selon qu'il se trouve à Pigalle ou à Denfert-Rochereau ? J'avais toujours été très sensible aux mystères de Paris.

À la table voisine de la leur, j'ai choisi de m'asseoir sur la banquette pour être encore plus proche de Bouvière. J'ai remarqué qu'ils avaient tous bu des cafés, et j'ai commandé moi aussi un café. Aucun d'eux ne m'avait prêté attention. Bouvière ne s'était pas interrompu au moment où j'avais tiré la table. J'avais trébuché contre le pied de celle-ci et j'étais tombé sur la banquette, à côté de lui. Je l'écoutais attentivement, mais je comprenais mal ce qu'il disait. Certains mots n'avaient pas le même sens dans sa bouche que dans la vie courante. J'étais étonné de voir combien il avait d'emprise sur son auditoire. Tous buvaient ses paroles et le type au grand cahier d'écolier ne cessait de prendre des notes en sténo. Il provoquait leur rire, de temps en temps, par des remarques sibyllines qui devaient souvent revenir dans sa bouche, comme des mots de passe. Si j'en ai le courage, j'essaierai de me rappeler les formules les plus caractéristiques de son enseignement. Je n'étais pas sensible aux mots qu'il employait. Je ne leur trouvais aucun écho ni aucune phosphorescence. Leur sonorité dans ma mémoire est devenue aussi grêle et désolée que les notes d'un vieux clavecin. D'ailleurs, maintenant que la voix du docteur Bouvière ne peut plus les mettre en valeur, il ne reste que des mots éteints dont il m'est difficile de saisir le sens. Je crois que Bouvière les empruntait plus ou moins à la psychanalyse et aux philosophies extrême-orientales, mais je ne voudrais pas trop m'aventurer sur des terrains que je connais mal.

Il a fini par se tourner de mon côté et il a remarqué ma présence. D'abord, il ne me voyait pas, et puis il a posé une question à son auditoire, du genre : « Vous comprenez ce que je veux dire », en me fixant du regard. À ce moment-là, j'ai eu l'impression de me fondre dans le groupe, et je me suis demandé si pour Bouvière il y avait une différence entre les autres et moi. J'étais sûr que dans ce café, autour de la même table, son auditoire se renouvelait et, s'il avait une petite poignée de fidèles — une garde rapprochée —, plusieurs groupes certainement se succédaient chaque soir de la semaine. Il confond tous ces visages, tous ces groupes, me disais-je. Un de plus, un de moins... D'ailleurs, par moments, il semblait se parler à lui-même, n'être plus qu'un acteur qui monologue devant un public anonyme... Quand il sentait que l'attention autour de lui atteignait son comble, il aspirait sur son fume-cigarette si fort que ses joues se creusaient et, sans rejeter la fumée, il s'interrompait quelques secondes pour vérifier que tous, ils étaient bien suspendus à ses lèvres. Ce premier soir, j'étais arrivé vers la fin de la réunion. Au bout d'un quart d'heure, il s'est tu, il a posé sur ses genoux une serviette mince et noire, d'un modèle élégant — de celles que l'on achète chez les grands maroquiniers du faubourg Saint-Honoré. Il en a sorti un agenda relié de cuir rouge. Il l'a feuilleté. Il a dit à son plus proche voisin, un garçon à visage d'épervier : « Vendredi prochain au Zeyer à huit heures. » Et l'autre l'a noté sur un calepin. À première vue, il devait lui servir de secrétaire et j'ai supposé qu'il était chargé d'envoyer des convocations. Bouvière s'est levé en se tournant de nouveau vers moi. Il m'a lancé un sourire protecteur, peut-être pour m'encourager à assister désormais à leurs réunions. En qualité d'auditeur libre ? Les autres se sont levés dans un même élan. J'ai suivi le mouvement. Dehors, place Denfert-Rochereau, il se tenait au milieu du groupe, il avait une parole pour l'un et pour l'autre comme ces professeurs de philosophie, un peu bohèmes, qui ont l'habitude de boire un verre avec leurs élèves les plus intéressants, à la fin du cours et jusque tard dans la nuit. Et moi, j'étais dans le groupe. Ils l'ont raccompagné jusqu'à sa voiture. Une blonde dont j'avais remarqué le visage mince et sévère marchait à ses côtés, et il semblait avoir avec elle une plus grande intimité qu'avec les autres. Elle portait un imperméable de la même couleur que celui de la femme, à Pigalle, mais son imperméable à elle n'était pas doublé de fourrure. Et, ce soir-là, il faisait froid. À un moment, il lui a pris le bras et les autres ne paraissaient pas s'en étonner. Arrivés devant la voiture, ils ont encore échangé quelques propos. Je restais un peu à l'écart. Le geste qu'il a eu pour mettre à sa bouche son fume-cigarette n'avait pas cette préciosité qui m'avait frappé à Pigalle. Au contraire, le fume-cigarette lui donnait quelque chose de martial : il était entouré par son état-major et il lui communiquait ses dernières instructions. La fille blonde en imperméable demeurait si près de lui que leurs épaules se touchaient. Son visage était de plus en plus sévère, on aurait dit qu'elle voulait tenir les autres à distance et leur signifier qu'elle occupait auprès de lui une place privilégiée.

Il est monté dans la voiture avec cette fille qui a claqué la portière. Il s'est penché à la vitre en faisant du bras un geste d'adieu au groupe, mais, comme il me fixait à ce moment-là de son regard clair, j'avais l'illusion que ce geste ne s'adressait qu'à moi. J'étais sur le bord du trottoir et je me suis penché vers lui. La fille m'a regardé avec une expression boudeuse. Il s'apprêtait à démarrer. Un vertige m'a saisi. J'avais envie de frapper à la vitre et de dire à Bouvière : « Vous n'avez pas oublié les recharges ? » tant cette phrase m'avait intrigué l'autre soir à Pigalle. J'étais déçu à la perspective qu'elle demeurerait un mystère, parmi tant d'autres mots et tant de visages surpris un instant et qui brilleront dans votre mémoire d'un scintillement d'étoile lointaine, avant de s'éteindre le jour de votre mort, sans avoir livré leur secret.

Je restais là, sur le trottoir, au milieu du groupe. J'étais gêné. Je ne savais quoi leur dire. J'ai fini par sourire au type à tête d'épervier. Peut-être en savait-il plus long que les autres. Je lui ai demandé, de manière un peu abrupte, quelle était cette fille qui venait de partir en voiture avec Bouvière. Il m'a répondu sans marquer de surprise, d'une voix douce et profonde, qu'elle s'appelait Geneviève. Geneviève Dalame.

J'essaie de me souvenir de ce que je pouvais bien faire, la nuit de l'accident, si tard, place des Pyramides. Je dois préciser qu'en ce temps-là, chaque fois que je quittais les quartiers de la rive gauche, j'étais heureux, comme s'il suffisait que je traverse la Seine pour me réveiller de ma torpeur. Il y avait soudain de l'électricité dans l'air. Il allait m'arriver enfin quelque chose.

J'attache sans doute une trop grande importance à la topographie. Je m'étais souvent demandé pourquoi, en l'espace de quelques années, les lieux où je rencontrais mon père s'étaient peu à peu déplacés des Champs-Élysées vers la porte d'Orléans. Je me rappelle même avoir déployé dans ma chambre d'hôtel de la rue de la Voie-Verte, un plan de Paris. Au stylo à bille rouge, je faisais des croix qui me servaient de points de repère. Tout avait commencé dans une zone dont L'ÉTOILE était le centre de gravité, avec des échappées à l'ouest, vers le bois de

Boulogne. Puis l'avenue des Champs-Élysées. Nous avions glissé imperceptiblement par la Madeleine et les Grands Boulevards vers le quartier de l'Opéra. Plus bas encore, vers le Palais-Royal : pendant quelques mois — assez longtemps pour que je pense qu'il avait trouvé dans cette dérive un point fixe — je venais rejoindre mon père au Ruc-Univers. Nous nous rapprochions d'une frontière que je m'efforçais de délimiter sur le plan. Du Ruc, nous étions passés au café Corona, qui fait le coin de la place Saint-Germain-l'Auxerrois et du quai du Louvre. Oui, elle était là, me semblait-il, la frontière. Il me donnait toujours rendez-vous au Corona vers neuf heures du soir. Le café allait fermer. Nous étions les seuls clients dans la salle du fond. Il n'y avait plus beaucoup de circulation sur le quai et l'on entendait l'horloge de Saint-Germain-l'Auxerrois sonner les quarts d'heure. C'était là que j'avais remarqué pour la première fois le costume élimé, les boutons qui manquaient au pardessus bleu marine. Mais les chaussures étaient impeccablement cirées. Je ne dirais pas qu'il ressemblait à un musicien au chômage. Non, plutôt à l'un de ces « aventuriers » après un séjour en prison. Les affaires sont de plus en plus difficiles. On a perdu l'éclat et l'agilité de la jeunesse. De Saint-Germain-l'Auxerrois, nous avions échoué porte d'Orléans. Et puis, une dernière fois, j'avais vu sa silhouette se perdre dans un matin brumeux de novembre — un

44

brouillard roux — du côté de Montrouge et de Châtillon. Il marchait tout droit vers ces deux localités dont chacune possède un fort où l'on fusillait les gens à l'aube. Il m'était souvent arrivé, quelque temps plus tard, de suivre le chemin inverse. Vers neuf heures du soir, je quittais la rive gauche en traversant la Seine par le pont des Arts et je me retrouvais au Corona. Mais cette fois-ci, j'étais seul à l'une des tables du fond et je n'avais plus besoin de chercher des mots à dire à ce type louche en pardessus bleu marine. Je commençais à ressentir un soulagement. J'avais laissé derrière moi, de l'autre côté du fleuve, une zone marécageuse où je pataugeais. J'avais pris pied sur la terre ferme. Ici, les lumières étaient plus brillantes. J'entendais le grésillement du néon. Tout à l'heure, je marcherais à l'air libre, le long des arcades, jusqu'à la place de la Concorde. La nuit serait limpide et silencieuse. L'avenir s'ouvrait devant moi. J'étais seul au Corona et j'entendais sonner les quarts d'heure à l'horloge de Saint-Germain-l'Auxerrois. Je ne pouvais pas m'empêcher de penser aux quelques réunions de Bouvière et de ses disciples auxquelles j'avais assisté, les semaines précédentes. Oui, elles se tenaient toujours dans des cafés, autour de Denfert-Rochereau. Sauf un soir, plus bas, rue d'Alésia, au Terminus, où j'avais parfois retrouvé mon père. Ce soir-là, j'avais imaginé une rencontre entre lui et Bouvière. Deux mondes bien différents. Bouvière, un peu pontifiant, bardé

45

de diplômes et protégé par son statut de « docteur »
et de maître à penser. Mon père, plus aventureux et
dont la seule école avait été celle de la rue. Escrocs
tous les deux, chacun à sa manière.

La dernière fois, Bouvière avait distribué plusieurs cours polycopiés et j'avais appris par le
garçon au visage d'épervier que ces cours, il les donnait dans je ne sais plus quelle université ou quel
collège de hautes études. Ils y assistaient tous, mais
moi, vraiment, je n'avais pas envie d'être sur les
bancs d'une école, en rang, parmi les autres. Les
pensionnats et la caserne m'avaient suffi. Le soir où
l'épervier avait distribué les polycopiés, pendant
que Bouvière s'installait sur la banquette de moleskine, je lui avais indiqué, d'un geste discret de la
main, que je n'en avais pas besoin. L'épervier
m'avait lancé un regard de reproche. Je ne voulais
pas lui faire de peine. Alors, j'avais pris le polycopié.
Plus tard, j'avais essayé de le lire dans ma chambre
et j'étais incapable de poursuivre ma lecture au-delà
de la première page. J'avais l'impression d'entendre
encore la voix de Bouvière. Elle n'était ni masculine
ni féminine, il y avait quelque chose de lisse dans
cette voix, de froid et de lisse, sans aucun pouvoir
sur moi, mais qui devait s'insinuer lentement chez
les autres, provoquer une sorte de paralysie et les
laisser sous l'emprise de cet homme. Les traits de
son visage me sont revenus à la mémoire, hier après-
midi, avec une précision photographique : pom-

mettes, petits yeux clairs très enfoncés dans leurs orbites. Une tête de mort. Des lèvres charnues, curieusement ourlées. Et la voix si froide et lisse… Je me rappelle qu'à cette époque, il existait d'autres têtes de mort comme la sienne, quelques gourous, quelques maîtres à penser et des sectes où les gens de mon âge cherchaient une doctrine politique, un dogme bien rigide, un grand timonier à qui se dévouer corps et âme. Je ne sais plus très bien pourquoi j'ai pu échapper à ces dangers. J'étais aussi vulnérable que les autres. Rien ne me distinguait vraiment de tous ces auditeurs déboussolés qui s'agglutinaient autour de Bouvière. Moi aussi j'avais besoin de certitudes. Par quel miracle ne suis-je pas tombé dans le piège ? Je le dois à ma paresse et à mon insouciance. Et peut-être aussi à un esprit terre à terre, qui m'attachait aux détails concrets. Oui, cet homme portait une cravate rose. Et le parfum de cette femme avait un fond de tubéreuse. L'avenue Carnot est en pente. Avez-vous remarqué que, dans certaines rues, en fin d'après-midi, vous avez le soleil dans les yeux ? On me prenait pour un idiot.

*

Je les aurais beaucoup déçus si je leur avais avoué l'une des raisons de ma présence à leurs réunions. J'avais repéré parmi eux quelqu'un qui me semblait plus intéressant que les autres, une certaine Hélène Navachine. Une brune aux yeux bleus. Elle était la seule à ne pas prendre de notes. La blonde qui se tenait toujours dans l'ombre de Bouvière la considérait avec méfiance, comme si elle pouvait être une rivale et pourtant Bouvière ne faisait jamais attention à elle. Cette Hélène Navachine, apparemment, ne connaissait aucun membre des groupes et ne leur adressait pas la parole. À la fin des réunions, je la voyais partir seule, traverser la place et disparaître dans la bouche du métro. Un soir, elle avait posé sur ses genoux un cahier de solfège. Après la réunion, je lui avais demandé si elle était musicienne et nous avions marché tous les deux côte à côte. Elle donnait des leçons de piano pour gagner sa vie, mais elle espérait bien entrer au Conservatoire de musique.

Ce soir-là, je l'avais suivie dans le métro. Elle m'avait dit qu'elle habitait près de la gare de Lyon et, pour l'accompagner jusqu'au bout, j'avais inventé un rendez-vous dans ce quartier. Des années plus tard, sur cette même ligne du métro aérien, entre Denfert et la place d'Italie, j'ai espéré un moment que le temps était aboli et que je me retrouverais de nouveau assis sur la banquette, à côté d'Hélène Navachine. Alors, une très forte sensation de vide m'a envahi et, pour me rassurer, je me suis dit que c'était parce que le métro surplombait le boulevard et les rangées d'immeubles. Dès que la ligne redeviendrait souterraine, je n'éprouverais plus ce sentiment de vertige et d'absence. Tout rentrerait dans l'ordre, dans la monotonie rassurante des jours qui succèdent aux jours. Ce soir-là, autour de nous deux, il n'y avait presque personne dans le compartiment. C'était bien après l'heure de pointe. Je lui avais demandé pourquoi elle assistait aux réunions de Bouvière. Sans le connaître, elle avait lu un article de lui sur la musique hindoue qui lui avait ouvert des horizons, mais l'homme l'avait un peu déçue et son « enseignement » n'était pas à la mesure de cet article. Elle me le ferait lire si je le voulais bien.

Et moi, quel chemin m'avait amené dans les groupes de Denfert-Rochereau ? Une simple curiosité. J'étais intrigué par le docteur Bouvière. J'aurais voulu en savoir plus sur lui. Quelle pouvait être la vie d'un docteur Bouvière ? Elle a souri. Elle aussi s'était posé la question. À première vue, il n'avait jamais été marié et il éprouvait du goût pour certaines de ses élèves. Mais l'éprouvait-il vraiment ? Elles avaient toujours le même physique : pâles, blondes, l'allure sévère de jeunes filles chrétiennes, au bord du mysticisme. Ça l'avait gênée, au début. Elle avait l'impression que certaines filles, au cours des réunions, la regardaient de haut et qu'elle n'était pas à leur diapason. Alors, nous sommes faits pour nous entendre, lui ai-je dit. Moi non plus je ne me suis jamais senti au diapason de rien. Je pensais qu'elle devait être comme moi, un peu perdue dans Paris, sans attache familiale, essayant de trouver un axe qui orienterait sa vie et croisant parfois des docteurs Bouvière. Un détail nous avait beaucoup étonnés tous les deux chez Bouvière. À l'une des réunions de la semaine précédente, son visage était tuméfié, comme si on lui avait cassé la figure : un œil au beurre noir et des ecchymoses sur le nez et autour du cou. Il n'avait fait aucune allusion à ce qui lui était arrivé et, pour donner le change, il avait été encore plus brillant que d'habitude. Il dialoguait avec son auditoire et nous demandait souvent si tout ce qu'il disait était bien clair pour nous. Seuls le secrétaire au visage d'épervier et la blonde à la peau transparente le fixaient d'un regard inquiet pendant toute sa conférence. À la fin de celle-ci, la blonde lui avait appliqué une compresse sur le visage et il s'était laissé soigner avec le sourire. Personne n'avait osé lui poser la moindre question. Vous ne trouvez pas que c'est un peu bizarre ? m'a demandé Hélène Navachine, du ton calme et désabusé de ceux qui ne peuvent plus s'étonner vraiment de rien depuis leur enfance. J'ai failli lui parler de la femme que j'avais vue avec Bouvière à Pigalle, mais j'imaginais mal celle-ci lui donner une telle raclée. Ni aucune femme, d'ailleurs. Non, ce devait être quelque chose de plus brutal et de plus trouble. Il y avait une part d'ombre dans la vie du docteur Bouvière, peut-être un secret qu'il jugeait honteux. J'ai haussé les épaules et j'ai dit à Hélène Navachine que cela faisait partie des mystères de Paris.

Elle habitait dans les grands pâtés d'immeubles, en face de la gare de Lyon. Je lui ai expliqué que j'étais en avance d'une heure sur mon rendez-vous. Elle m'aurait bien accueilli chez elle pour m'éviter d'attendre dehors. Malheureusement, sa mère n'aurait pas supporté qu'elle amène quelqu'un à l'improviste dans leur petit appartement du 5 de la rue Émile-Gilbert.

*

J'ai revu Hélène Navachine à la réunion suivante. Les ecchymoses avaient presque disparu sur le visage du docteur Bouvière et il ne portait plus qu'un petit sparadrap à la joue gauche. On ignorerait toujours qui lui avait cassé la figure. Il ne cracherait pas le morceau. Même la jeune fille blonde qui montait chaque fois avec lui dans sa voiture n'en saurait rien, j'en étais sûr. Les hommes meurent avec leur secret.

Ce soir-là, j'avais demandé à Hélène Navachine pourquoi elle s'intéressait tant à la musique hindoue. Elle écoutait souvent cette musique, me disait-elle, pour être délivrée d'un poids qui l'oppressait et atteindre enfin une région où l'on respire un air limpide et léger. Et puis c'était une musique silencieuse. Elle avait besoin d'un air léger et de silence. J'étais d'accord avec elle. Je l'accompagnais à ses leçons de piano. Elle les donnait pour

51

la plupart dans le septième arrondissement. Je l'attendais en marchant, ou bien, les après-midi de pluie ou de neige, je me réfugiais dans le café le plus proche de l'immeuble où elle était entrée. La leçon durait une heure. Il y en avait trois ou quatre par jour. Alors, dans les intervalles, je me retrouvais seul le long des bâtiments abandonnés de l'École militaire. Je craignais de perdre la mémoire et de m'égarer sans oser demander mon chemin. Les passants étaient rares et quel chemin pouvais-je bien leur demander ? Un après-midi, au bout de l'avenue de Ségur, à la limite du quinzième arrondissement, j'ai été saisi d'une panique. J'avais l'impression de me fondre dans ce brouillard qui annonçait la neige. J'aurais voulu que quelqu'un me prenne par le bras et me dise des paroles rassurantes : « Mais non, ce n'est rien, mon vieux... Vous devez manquer de sommeil... Allez boire un cognac... Ça va passer... » J'essayais de m'accrocher à de petits détails concrets. Elle m'avait dit que pour les leçons de piano, elle ne se compliquait pas la vie. Elle leur faisait apprendre le même morceau. Ça s'appelait *Le Boléro* de Hummel. Elle me l'avait joué un soir sur un piano que nous avions découvert au sous-sol d'une brasserie. Tout à l'heure, je lui demanderais de me siffler *Le Boléro* de Hummel. Un Allemand qui avait dû faire un voyage en Espagne. Il valait mieux que je l'attende devant l'immeuble où elle donnait sa leçon. Drôle de quartier... un quartier métaphysique, aurait dit Bouvière, de sa voix si froide et si lisse. Quelle faiblesse de ma part de me laisser aller à des états d'âme... Il suffisait d'un peu de brouillard qui annonçait la neige au carrefour Ségur-Suffren pour me faire perdre le moral. Vraiment, j'étais une petite nature. Est-ce le souvenir de la neige qui tombait cet après-midi-là quand Hélène Navachine est sortie de l'immeuble, mais chaque fois que je pense à cette période de ma vie, je sens l'odeur de la neige — une fraîcheur plutôt qui vous glace les poumons et finit par se confondre pour moi avec l'odeur de l'éther. Un après-midi, après sa leçon de piano, elle avait glissé sur une plaque de verglas et, en tombant, elle s'était blessée à la main. Une coupure qui la faisait saigner. Nous avions trouvé une pharmacie un peu plus bas. J'avais demandé du coton et, au lieu d'alcool à 90°, un flacon d'éther. Je ne crois pas que c'était une erreur délibérée de ma part. Nous nous étions assis sur un banc, elle avait débouché le flacon et, au moment où elle imbibait le coton pour l'appliquer sur sa coupure, j'avais senti l'odeur de l'éther, si forte et qui m'était si familière depuis mon enfance. J'avais mis le flacon bleu dans ma poche, mais cette odeur flottait encore autour de nous. Elle imprégnait les chambres d'hôtel du quartier de la gare de Lyon où nous avions l'habitude d'échouer. C'était avant qu'elle ne rentre chez elle ou alors quand elle venait m'y retrouver, vers neuf heures du soir. On ne demandait pas les papiers des clients à la réception de ces hôtels. Il y avait trop de passage, à cause de la proximité de la gare. Des clients qui ne resteraient pas longtemps dans les chambres et qu'un train allait bientôt emporter. Des ombres. On nous tendait une fiche où nous devions écrire nos noms et nos adresses, mais ils ne vérifiaient jamais si ces noms et ces adresses correspondaient à ceux d'un passeport ou d'une carte d'identité. C'était moi qui remplissais les fiches pour nous deux. En ai-je écrit des noms et des adresses différents... Et, au fur et à mesure, je les notais sur une page d'agenda pour changer les noms la prochaine fois. Je voulais brouiller les pistes et les dates de nos naissances, car l'un et l'autre nous étions encore mineurs. J'ai retrouvé l'année dernière dans un vieux portefeuille la page où j'avais fait la liste de nos fausses identités.

Georges Accad	28, rue de la Rochefoucauld, Paris 9e
Yvette Dintillac	75, rue Laugier
André Gabison	Calle Jorge Juan 17, Madrid
Jean-Maurice Jedlinski et Marie-José Vasse	Casa Montalvo, Biarritz
Jacques Piche	Berlin, Steglitz, Orleanstrasse 2
Patrick de Terouane	21, rue Berlioz, Nice
Suzy Kraay	Vijzelstraat 98, Amsterdam...

On m'a dit que chaque hôtel transmettait ces fiches à la brigade mondaine. Là-bas, ils les classaient par ordre alphabétique. Il paraît que, depuis, ils les ont détruites, mais je n'y crois pas. Elles sont restées intactes dans leurs casiers. Un soir, par désœuvrement, un policier à la retraite a consulté toutes ces vieilles archives et il est tombé sur la fiche d'André Gabison ou celle de Marie-José Vasse. Il s'est demandé pourquoi ces personnes, depuis plus de trente ans, étaient demeurées absentes et inconnues à leurs adresses. Il ne saura jamais la vérité. Il y a longtemps, une fille donnait des leçons de piano. Dans les chambres d'hôtel du quartier de la gare de Lyon où nous nous retrouvions, j'avais remarqué qu'on avait laissé les rideaux noirs de la Défense passive et pourtant c'était bien des années après la guerre. On entendait des allées et venues le long des couloirs, des portes qui claquaient, des sonneries de téléphone. Derrière les cloisons, des conversations se poursuivaient toute la nuit et le timbre des voix était celui de voyageurs de commerce discutant interminablement de leurs affaires. Des pas lourds, dans l'escalier, de gens qui portaient des valises. Et, malgré le brouhaha, nous parvenions tous les deux à atteindre la zone de silence dont elle m'avait parlé, où l'air était léger à respirer. Au bout de quelque temps, j'avais la sensation que nous étions désormais les seuls habitants de l'hôtel et qu'il s'était vidé de ses clients. Ils étaient tous partis prendre le train à la gare d'en face. Le silence était si profond que j'imaginais la petite gare d'une ville de province près d'une frontière perdue sous la neige.

Je me souviens qu'à la clinique Mirabeau, après l'accident, je me réveillais en sursaut et je ne savais plus où j'étais. Je cherchais le bouton de la lampe de chevet. Alors, dans la lumière trop crue, je reconnaissais les murs blancs, la baie vitrée. J'essayais de me rendormir, mais mon sommeil était lourd et agité. Toute la nuit, des gens parlaient derrière la cloison. Un nom revenait sans cesse, prononcé par des voix aux intonations différentes : JACQUELINE BEAUSERGENT. Le matin, je me rendais compte que j'avais rêvé. Seul le nom : JACQUELINE BEAU-SERGENT était réel, puisque je l'avais entendu de sa bouche à l'Hôtel-Dieu, quand le type en blouse blanche nous avait demandé qui nous étions.

L'autre soir, à l'aéroport d'Orly Sud, j'attendais des amis de retour du Maroc. L'avion avait du retard. Il était plus de dix heures. Le grand hall qui donnait accès aux portes d'arrivée était presque désert. J'éprouvais la sensation curieuse d'être parvenu à une sorte de no man's land dans l'espace et le temps. J'ai entendu, tout à coup, l'une de ces voix immatérielles des aéroports répéter à trois reprises : « ON DEMANDE JACQUELINE BEAUSERGENT À LA PORTE D'EMBARQUEMENT 624. » Je courais le long du hall. Je ne savais pas ce qu'elle était devenue depuis trente ans, mais ces années ne comptaient plus. J'avais l'illusion qu'il pouvait encore y avoir pour moi une porte d'embarquement. Quelques rares passagers se présentaient à la porte 624. Devant celle-ci, un homme en uniforme sombre se tenait en faction. Il m'a demandé d'une voix sèche :

« Vous avez votre billet ?

— Je cherche quelqu'un... Il y a eu un appel tout à l'heure... Jacqueline Beausergent... »

Les derniers passagers avaient disparu. Il a haussé les épaules.

« La personne a dû embarquer depuis longtemps, monsieur. »

J'ai dit encore une fois :

« Vous êtes sûr ? Jacqueline Beausergent... »

Il me barrait le passage.

« Vous voyez bien qu'il n'y a plus personne, monsieur. »

Tout se confond dans ma mémoire pour la période qui a précédé l'accident. Les jours se succédaient dans une lumière incertaine. J'attendais que le voltage augmente pour y voir plus clair. Quand j'y repense aujourd'hui, seule la silhouette d'Hélène Navachine se détache du brouillard. Je me souviens qu'elle avait un grain de beauté sur l'épaule gauche. Elle m'avait dit qu'elle allait partir pour Londres quelques jours parce qu'on lui proposait là-bas un travail et qu'elle voulait se rendre compte si c'était vraiment intéressant.

Un soir, je l'avais accompagnée à son train gare du Nord. Elle m'avait envoyé une carte postale où elle m'écrivait qu'elle serait bientôt de retour à Paris. Mais elle n'est jamais revenue. Il y a trois ans, j'ai reçu un coup de téléphone. J'ai entendu une voix de femme qui me disait : « Allô... ici l'hôtel Palym... On veut vous parler, monsieur... » L'hôtel Palym était presque en face de chez elle, dans la petite rue d'où l'on voyait l'horloge de la gare de Lyon. Une fois, nous y avions pris une chambre sous les noms d'Yvette Dintillac et de Patrick de Terouane. La femme a répété : « Vous êtes toujours en ligne, monsieur ? Je vous passe votre correspondant... » J'étais sûr que ce serait elle. De nouveau, nous allions nous retrouver entre deux leçons de piano et les élèves joueraient *Le Boléro* de Hummel jusqu'à la fin des temps. Comme aimait à le répéter le docteur Bouvière, la vie était un éternel retour. Il y avait des parasites sur la ligne, et cela ressemblait au murmure du vent dans les feuillages. J'attendais en serrant le combiné pour éviter le moindre mouvement qui aurait risqué de rompre ce fil tendu à travers les années. « Votre correspondant vous parle, monsieur... » J'ai cru entendre le bruit d'un meuble que l'on renverse ou quelqu'un qui faisait une chute dans un escalier.

« Allô... Allô... Vous m'entendez ? » Une voix d'homme. J'étais déçu. Toujours ce grésillement sur la ligne. « J'étais un ami de votre père... Vous m'entendez ? » J'avais beau lui dire oui, il ne m'entendait pas, lui. « Guy Roussotte... je suis Guy Roussotte... Votre père vous a peut-être parlé de moi... j'étais un collègue de votre père au bureau Otto... Vous m'entendez ? » Il semblait me poser cette question pour la forme sans se préoccuper vraiment que je l'entende ou non. « Guy Roussotte... Nous avions un bureau avec votre père... »

J'aurais pu croire qu'il me parlait depuis l'un de ces bars des Champs-Élysées d'il y a cinquante ans où le brouhaha des conversations roulait autour des affaires de marché noir, des femmes et des chevaux. La voix était de plus en plus étouffée et seuls me parvenaient des lambeaux de phrases : « Votre père... bureau Otto... rencontre... quelques jours à l'hôtel Palym... où je pourrais le toucher... Dites-lui simplement : Guy Roussotte... bureau Otto... de la part de Guy Roussotte... un coup de fil... Vous m'entendez ?... » Comment avait-il obtenu mon numéro de téléphone ? Je n'étais pas dans l'annuaire. J'imaginais ce spectre téléphonant d'une chambre de l'hôtel Palym, la même chambre peut-être qu'avaient occupée une nuit, autrefois, Yvette Dintillac et Patrick de Terouane. Quelle drôle de coïncidence... La voix était maintenant trop lointaine, et les phrases trop décousues. Je me demandais si c'était mon père qu'il voulait voir, le croyant encore de ce monde, ou si c'était moi. Bientôt, je ne l'entendais plus. De nouveau, ce bruit de meuble que l'on renverse ou la chute d'un corps dans un escalier. Puis la tonalité du téléphone, comme si l'on avait raccroché. Il était déjà huit heures du soir et je n'ai pas eu le courage de rappeler l'hôtel Palym. Et j'étais vraiment déçu. J'avais espéré entendre la voix d'Hélène Navachine. Qu'est-ce qu'elle avait bien pu devenir, depuis tout ce temps ? La dernière fois que je l'avais vue en rêve, celui-ci s'était interrompu sans qu'elle ait eu le temps de me donner son adresse et son numéro de téléphone.

*

Le même hiver où j'avais entendu la voix lointaine de Guy Roussotte, il m'était arrivé une mésaventure. On a beau, pendant plus d'une trentaine d'années, avoir peiné pour que sa vie soit plus claire et plus harmonieuse qu'elle ne l'était à ses débuts, un incident risque de vous ramener brusquement en arrière. C'était au mois de décembre. Depuis une semaine environ, quand je sortais ou que je rentrais chez moi, j'avais remarqué qu'une femme se tenait immobile à quelques mètres de la porte de l'immeuble ou sur le trottoir d'en face. Elle n'était jamais là avant six heures du soir. Une femme grande, vêtue d'un manteau en mouton retourné et qui portait un chapeau à large bord et un sac marron en bandoulière. Elle me suivait du regard et elle restait là, silencieuse, dans une attitude menaçante. De quel cauchemar oublié de mon enfance cette femme pouvait-elle bien sortir ? Et pourquoi maintenant ? Je me suis penché à la fenêtre. Elle attendait sur le trottoir, l'air de surveiller la façade de l'immeuble. Mais je n'avais pas allumé l'électricité dans la pièce et il lui était impossible de me voir. Avec ce gros sac en bandoulière, ce chapeau et ces bottes, elle donnait l'impression d'avoir été la cantinière d'une armée disparue depuis longtemps, mais qui avait laissé derrière elle bien des cadavres. J'avais peur qu'à partir de maintenant, et jusqu'à la fin de ma vie, elle ne se tienne en faction là où j'aurais mon domicile et que cela ne me serve à rien de déménager. Chaque fois, elle trouverait ma nouvelle adresse.

Une nuit, je rentrais plus tard que d'habitude et elle était toujours là, immobile. J'allais pousser la porte de l'immeuble lorsqu'elle s'est approchée lentement de moi. Une vieille femme. Elle me fixait d'un regard sévère comme si elle voulait me faire honte de quelque chose ou me rappeler une faute que j'aurais commise. J'ai soutenu ce regard en silence. Je finissais par me demander de quoi j'étais coupable. J'ai croisé les bras et je lui ai dit d'une voix calme et en articulant les syllabes que j'aimerais bien savoir ce qu'elle me voulait.

Elle a levé le menton et de sa bouche est sorti un flot d'injures. Elle m'appelait par mon prénom et me tutoyait. Y avait-il un lien de parenté entre nous ? Peut-être l'avais-je connue il y a longtemps. Le chapeau à large bord accentuait la dureté de son visage et, sous la lumière jaune du lampadaire, elle ressemblait à une très vieille cabotine allemande du nom de Leni Riefenstahl. La vie et les sentiments n'avaient pas eu de prise sur ce visage de momie, oui, la momie d'une petite fille méchante et capricieuse d'il y a quatre-vingts ans. Les yeux de rapace me fixaient toujours et je ne baissais pas mon regard. Je lui faisais un large sourire. Je sentais qu'elle était prête à mordre et à m'inoculer son venin, mais sous cette agressivité, il y avait quelque chose de faux, comme le jeu sans nuances d'une mauvaise actrice. De nouveau, elle m'accablait d'injures. Elle s'était appuyée contre la porte de l'immeuble pour me bloquer le passage. Je lui souriais toujours et je me rendais bien compte que cela l'exaspérait de plus en plus. Mais je n'avais pas peur d'elle. Finies les terreurs enfantines, dans le noir, à la pensée qu'une sorcière ou la mort ouvrirait la porte de la chambre. « Pourriez-vous parler un peu moins fort, madame ? » lui ai-je dit sur un ton de courtoisie qui m'a étonné moi-même. Elle aussi a paru interloquée par le calme de ma voix. « Excusez-moi, mais je n'ai plus l'habitude d'entendre des voix aussi fortes que la vôtre. » J'ai vu ses traits se crisper et ses yeux se dilater en un quart de seconde. Elle a tendu le menton pour me défier, un menton très lourd, proéminent.

Je lui souriais. Alors, elle s'est jetée sur moi. D'une main, elle s'agrippait à mon épaule et, de l'autre, elle tentait de me griffer au visage. Je voulais me dégager, mais elle pesait vraiment très lourd. Je sentais peu à peu revenir les terreurs de mon enfance. Depuis plus de trente ans, j'avais fait en sorte que ma vie soit aussi ordonnée qu'un parc à la française. Le parc avait recouvert de ses grandes

64

allées, de ses pelouses et de ses bosquets un marécage où j'avais failli m'engloutir autrefois. Trente
ans d'efforts. Et tout cela pour qu'une méduse
m'attende une nuit dans la rue et me saute
dessus... Elle allait m'étouffer, cette vieille. Elle
pesait aussi lourd que mes souvenirs d'enfance. Un
suaire me recouvrait et il ne servait plus à rien de
me débattre. Personne ne pouvait m'aider. Un peu
plus bas, sur la place, il y avait un commissariat
devant lequel se tenaient des gardiens de la paix
en faction. Tout cela finirait dans un panier à
salade et dans un commissariat. C'était une fatalité
depuis longtemps. D'ailleurs, à l'âge de dix-sept ans,
quand on m'avait embarqué parce que mon père
voulait se débarrasser de moi, cela se passait près
d'ici, du côté de l'église. Plus de trente ans d'efforts inutiles pour revenir au point de départ, dans
les commissariats du quartier. Quelle tristesse... Ils
avaient l'air de deux ivrognes qui se battaient dans
la rue, dirait l'un des gardiens de la paix. On nous
ferait asseoir sur un banc, cette vieille et moi,
comme tous ceux que l'on avait pris dans les rafles
de la nuit, et il faudrait décliner mon identité. On
me demanderait si je la connaissais. Le commissaire de police me dirait : Elle se fait passer pour
votre mère, mais d'après ses papiers, il n'y a aucun
lien de parenté entre vous. D'ailleurs, vous êtes né
de mère inconnue. Vous êtes libre, monsieur. C'était
le même commissaire de police auquel mon père

m'avait livré quand j'avais dix-sept ans. Le docteur Bouvière avait raison : La vie est un éternel retour. Une rage à froid m'a envahi et j'ai donné à la vieille un coup sec de genou dans le ventre. Son étreinte s'est relâchée. Je l'ai poussée violemment. Enfin, je respirais... Je l'avais neutralisée par surprise, elle n'osait plus s'approcher de moi, elle restait immobile, au bord du trottoir, en me fixant de ses petits yeux dilatés. C'était elle maintenant qui se tenait sur la défensive. Elle essayait de me sourire, un horrible sourire de théâtreuse que démentait la dureté du regard. J'ai croisé les bras. Alors, voyant que le sourire ne prenait pas, elle a fait semblant d'écraser une larme. À mon âge, comment avais-je pu être effrayé par ce fantôme et croire un instant qu'elle avait encore la force de m'attirer vers le bas ? Elle était bien finie, l'époque des commissariats.

Les jours suivants, elle ne s'est plus postée devant l'immeuble et, jusqu'à présent, elle n'a pas donné signe de vie. Cette nuit-là, je l'avais encore observée derrière la fenêtre. Elle ne semblait pas du tout affectée par notre pugilat. Elle faisait les cent pas le long du terre-plein. Des allers et retours réguliers sur une distance assez courte, mais d'un pas vif, presque militaire. Très droite, le menton haut. De temps en temps, elle tournait la tête vers la façade de l'immeuble pour vérifier s'il y avait bien un public. Et puis elle s'était mise à boiter. Au début, elle s'y exerçait, comme pour une répétition. Peu à peu, elle avait trouvé son rythme. Je l'avais vue s'éloigner et disparaître en boitant, mais elle forçait trop la note dans ce rôle de vieille cantinière à la recherche d'une armée en déroute.

Il y a trois ans, à peu près à la même époque où cette vieille m'avait agressé, mais vers le mois de juin ou de juillet, je suivais le quai de la Tournelle. Un samedi après-midi de soleil. Je regardais les livres dans les boîtes des bouquinistes. Et, tout à coup, mes yeux sont tombés sur trois volumes retenus par un gros élastique rouge et disposés bien en évidence. La couverture jaune, le nom et le titre en caractères noirs du premier volume m'ont causé un pincement au cœur : *Les Souvenirs-écrans* de Fred Bouvière. J'ai ôté l'élastique. Deux autres livres de Bouvière : *Drogues et thérapeutiques* et *Le Mensonge et l'Aveu.* Il y avait fait plusieurs fois allusion au cours des réunions de Denfert-Rochereau. Trois livres introuvables, dont il disait, avec une certaine ironie, qu'ils étaient « ses œuvres de jeunesse ». Les dates de leur publication étaient mentionnées au bas de leur couverture avec le nom de l'éditeur : Au Sablier. Oui, Bouvière devait être bien jeune en ce temps-là, vingt-deux, vingt-trois ans à peine.

J'ai acheté les trois volumes et j'ai découvert sur la page de garde du *Mensonge et l'Aveu* une dédicace : « Pour Geneviève Dalame, ce livre écrit quand j'avais son âge, à l'heure du couvre-feu. Fred Bouvière. » Les deux autres n'étaient pas dédicacés mais portaient, comme le premier, écrit à l'encre bleue le nom « Geneviève Dalame » sur la page de titre, avec une adresse : « 4, boulevard Jourdan ». Le visage de cette fille blonde à la peau très pâle qui était toujours dans l'ombre de Bouvière et prenait place à côté de lui sur la banquette de la voiture à la fin des réunions, le type au visage d'épervier me disant à voix basse : « Elle s'appelle Geneviève Dalame », tout cela m'est revenu en mémoire. J'ai demandé au bouquiniste où il avait trouvé ces livres. Il a haussé les épaules — Oh, un déménagement... En me rappelant la manière dont Geneviève Dalame contemplait Bouvière de son regard bleu et buvait ses paroles, je me disais qu'il était impossible qu'elle se fût débarrassée de ces trois livres. À moins qu'elle ait voulu rompre brutalement avec toute une partie de sa vie. Ou qu'elle fût morte. 4, boulevard Jourdan. C'était à deux pas de chez moi, quand j'occupais la chambre d'hôtel, rue de la Voie-Verte. Mais je n'avais pas besoin de vérifier, je savais que l'immeuble n'existait plus depuis une quinzaine d'années et que la rue de la Voie-Verte avait changé de nom.

Je me suis souvenu qu'un jour de ce temps-là, j'allais prendre l'autobus 21, porte de Gentilly, et elle était sortie du petit immeuble, mais je n'avais pas osé l'aborder. Elle attendait l'autobus elle aussi, et nous étions tous les deux seuls, à l'arrêt. Elle ne me reconnaissait pas, et c'était bien naturel : pendant les réunions, elle ne voyait que Bouvière et les autres membres du groupe n'étaient que des visages flous dans le halo lumineux qu'il projetait autour de lui.

Quand l'autobus a démarré, nous étions les uniques passagers, et j'ai pris place sur la banquette en face d'elle. Je me souvenais bien du nom que m'avait chuchoté l'épervier quelques jours auparavant. Geneviève Dalame.

Elle s'est absorbée dans un livre recouvert de papier cristal, peut-être celui que lui avait dédicacé Bouvière et qu'il avait écrit à l'heure du couvre-feu. Je ne la quittais pas du regard. J'avais lu, je ne sais plus où, que si vous regardez les gens fixement, même de dos, ils s'aperçoivent de votre présence. Avec elle, ça a duré longtemps. Elle n'a fait vaguement attention à moi que lorsque l'autobus suivait la rue de la Glacière. « Je vous ai vue aux réunions du docteur Bouvière », lui ai-je dit. En prononçant ce nom, je croyais gagner ses bonnes grâces, mais elle m'a jeté un regard soupçonneux. Je cherchais les mots pour la dérider. « C'est fou…, lui ai-je dit, le docteur Bouvière répond à toutes les questions que l'on se pose dans la vie. » Et j'ai pris un air absorbé, comme s'il suffisait de prononcer le nom Bouvière pour se détacher du monde quotidien et de cet autobus où nous étions. Elle a paru rassurée. Nous avions le même gourou, nous partagions les mêmes rites et les mêmes secrets. « Ça fait long-temps que vous venez aux réunions ? m'a-t-elle demandé. — Quelques semaines. — Vous voudriez avoir un contact plus personnel avec lui ? » Elle m'avait posé la question avec une certaine condes-cendance, comme si elle était la seule intermédiaire qui existât entre Bouvière et la masse des disciples. « Pas tout de suite, lui ai-je dit, je préfère attendre encore… » Et le ton de ma voix était si grave qu'elle ne pouvait plus douter de ma sincérité. Elle m'a souri et j'ai même cru discerner pour moi, dans ses grands yeux bleu pâle, une sorte de tendresse. Mais je ne me faisais guère d'illusions. Je le devais à Bou-vière.

Elle portait une montre d'homme qui contrastait avec la minceur de son poignet. Le bracelet en cuir noir n'était pas assez serré. Elle a eu un mouvement trop vif en enfonçant le livre dans son sac. La montre a glissé et elle est tombée. Je me suis penché pour la ramasser. Ce devait être une vieille montre de Bouvière, me suis-je dit. Elle lui avait demandé de la porter pour avoir toujours sur elle un objet qui lui aurait appartenu. J'ai voulu l'aider à bien serrer le bracelet de cuir autour de son poignet, mais le bracelet était décidément trop large pour elle. Alors, j'ai remarqué au bas du poignet, à la hauteur des veines, une cicatrice récente puisqu'elle était encore rose, une suite de petites cloques. J'ai d'abord éprouvé un sentiment de malaise. La cicatrice ne correspondait pas à cette journée d'hiver ensoleillée où j'étais assis dans un autobus en compagnie d'une fille blonde aux yeux bleus. Moi, j'étais un type assez banal qui avait le goût du bonheur et des jardins à la française. Souvent des idées noires me traversaient, mais bien contre mon gré. Pour elle aussi, c'était peut-être la même chose. Son sourire et son regard exprimaient l'insouciance avant de connaître le docteur Bouvière. C'était lui, sans doute, qui lui avait fait perdre la joie de vivre. Elle s'était rendu compte que j'avais remarqué la cicatrice et elle appuyait sa main bien à plat sur son genou pour la cacher. J'avais envie de lui parler de choses anodines. Était-elle encore étudiante ou avait-elle déjà trouvé du travail ? Elle m'a expliqué qu'elle était employée comme dactylo dans une boîte qui s'appelait Opéra Intérim. Et brusquement, elle parlait avec naturel et il ne restait plus rien de cette intensité et de cette affectation qui étaient les siennes, quand nous avions évoqué le docteur. Oui, je finissais par me persuader qu'avant de le croiser sur son chemin elle avait été une fille toute simple. Et je regrettais de ne l'avoir pas rencontrée à ce moment-là.

Je lui ai demandé si elle assistait aux réunions depuis longtemps. Presque un an. Au début, c'était difficile, elle ne comprenait pas grand-chose. Elle n'avait aucune notion de philosophie. Elle avait arrêté ses études au B.E.P.C. Elle pensait qu'elle n'était pas à la hauteur et ce sentiment l'avait jetée dans une « crise de désespoir ». En employant ces derniers mots, peut-être voulait-elle me faire comprendre pourquoi elle avait une cicatrice au poignet. Puis le docteur l'avait aidée à vaincre ce manque de confiance en elle. Un exercice très pénible, mais, grâce à lui, elle avait réussi à s'en sortir. Elle lui était vraiment reconnaissante de l'avoir fait accéder à un niveau qu'elle n'aurait jamais pu atteindre toute seule. Où l'avait-elle rencontré ? Oh, dans un café. Elle y prenait un sandwich avant de rentrer travailler au bureau. Il préparait l'un de ses cours qu'il donnait aux « Hautes Études ». Quand il avait su qu'elle était dactylo, il lui avait demandé de taper un texte pour lui. J'étais sur le point de lui dire que, moi aussi, j'avais rencontré pour la première fois Bouvière dans un café. Mais je craignais d'évoquer un sujet doulou-reux. Elle connaissait peut-être l'existence de la femme à l'imperméable doublé de fourrure, celle qui disait : « La prochaine fois, vous penserez à mes recharges. » Et si c'était cette femme qui se trouvait à l'origine de la cicatrice au poignet ? Ou plutôt Bouvière, tout simplement, avec sa vie sentimentale qui me paraissait, à première vue, bien étrange...

J'ai voulu savoir à quelle station elle descendait. Petits-Champs - Danielle-Casanova. J'avais pris un ticket pour la gare du Luxembourg, mais cela n'avait aucune importance. J'avais décidé de l'accompagner jusqu'au bout. Elle allait à Opéra Intérim, mais bientôt, m'a-t-elle dit, elle quitterait cet emploi. Le docteur lui avait promis un travail « à temps complet ». Elle taperait ses cours et ses articles, elle s'occuperait de l'organisation des réunions, des convocations et des circulaires à envoyer aux différents groupes. Elle était heureuse d'avoir un vrai travail qui donnait enfin un sens à sa vie.

« Alors, vous allez vous dévouer entièrement au docteur ? » Cette phrase m'avait échappé et à peine l'avais-je prononcée que je la regrettais. Elle m'a fixé de son regard bleu pâle, avec une certaine dureté. J'ai voulu rattraper cette maladresse par une remarque d'ordre général : « Vous savez, les maîtres à penser ne mesurent pas toujours le pouvoir qu'ils exercent sur leurs disciples. » Son regard s'est adouci. J'avais l'impression qu'elle ne me voyait plus et qu'elle était perdue dans ses pensées. Elle m'a demandé : « Vous croyez ? » Et il y avait tant de désarroi et de candeur dans cette question que cela m'a ému. Un vrai travail qui donnerait enfin un sens à sa vie… En tout cas, elle avait voulu y mettre un terme, à sa vie, si j'en jugeais par cette cicatrice au bas du poignet… J'aurais aimé qu'elle se confie à moi. J'ai rêvé, un court instant, que dans cet autobus son visage se rapprochait du mien et qu'elle me parlait très longtemps à l'oreille pour que personne d'autre n'entende.

De nouveau, elle me considérait d'un regard méfiant. « Je ne suis pas d'accord avec vous, m'a-t-elle dit sèchement. Moi, j'ai besoin d'un maître à penser... » J'ai hoché la tête. Je n'avais rien à lui répondre. Nous étions arrivés au Palais-Royal. L'autobus passait devant le Ruc-Univers à la terrasse duquel je m'étais souvent assis avec mon père. Lui non plus ne parlait pas et nous nous quittions sans avoir rompu le silence. Beaucoup d'encombrements. L'autobus avançait par à-coups. Il aurait fallu en profiter pour lui poser vite des questions et en savoir un peu plus long sur la dénommée Geneviève Dalame, mais elle avait l'air de penser à quelque chose qui la préoccupait. Jusqu'à Petits-Champs - Danielle-Casanova, nous n'avons pas échangé un seul mot. Et puis nous sommes descendus de l'autobus. Sur le trottoir, elle m'a serré la main distraitement, de sa main gauche, celle de la montre et de la cicatrice. « À la prochaine réunion », lui ai-je dit. Mais au cours des réunions qui ont suivi, elle a toujours ignoré ma présence. Elle remontait l'avenue de l'Opéra et je l'ai très vite perdue de vue. Il y avait beaucoup trop de monde sur le trottoir, à cette heure-là.

Cette nuit, j'ai rêvé pour la première fois à l'un des épisodes les plus tristes de ma vie. Quand j'avais dix-sept ans, mon père, pour se débarrasser de moi, avait appelé un après-midi police secours, et le panier à salade nous attendait devant l'immeuble. Il m'avait livré au commissaire du quartier en disant que j'étais un « voyou ». J'avais préféré oublier cet épisode, mais, dans mon rêve de cette nuit, un détail effacé lui aussi avec le reste m'est revenu et m'a secoué, quarante ans après, comme une bombe à retardement. Je suis assis sur une banquette tout au fond du commissariat, et j'attends sans savoir ce qu'ils veulent faire de moi. Par moments, je tombe dans un demi-sommeil. À partir de minuit, j'entends régulièrement un moteur et des portières qui claquent. Des inspecteurs poussent dans la salle un groupe disparate, des gens bien habillés, d'autres l'allure de clochards. Une rafle. Ils déclinent leurs identités. Au fur et à mesure, ils disparaissent dans une pièce dont je ne vois que la porte grande ouverte. La dernière à se présenter devant le type qui tape à la machine est une femme très jeune, les cheveux châtains, vêtue d'un manteau de fourrure. À plusieurs reprises, le policier se trompe sur l'orthographe de son nom, et elle le répète avec lassitude : JACQUELINE BEAUSERGENT.

Avant qu'elle entre dans la pièce voisine, nos regards se croisent.

Je me demande si la nuit où la voiture m'a renversé je ne venais pas d'accompagner Hélène Navachine à son train, gare du Nord. L'oubli finit par
ronger des pans entiers de notre vie et, quelquefois,
de toutes petites séquences intermédiaires. Et dans
ce vieux film, les moisissures de la pellicule provo-
quent des sautes de temps et nous donnent l'impression que deux événements qui s'étaient pro-
duits à des mois d'intervalle ont eu lieu le même
jour et qu'ils étaient même simultanés. Comment
établir la moindre chronologie en voyant défiler ces
images tronquées qui se chevauchent dans la plus
grande confusion de notre mémoire, ou bien se succèdent tantôt lentes, tantôt saccadées, au milieu de
trous noirs ? À la fin, la tête me tourne.

Il me semble bien que cette nuit-là je revenais à
pied de la gare du Nord. Sinon pourquoi me serais-
je trouvé si tard assis sur un banc, tout près du
square de la tour Saint-Jacques, devant la station des

autobus de nuit ? Un couple attendait lui aussi à la station. L'homme m'a adressé la parole d'un ton agressif. Il voulait que je les accompagne, lui et la femme, dans un hôtel. La femme ne disait rien et paraissait gênée. L'autre me prenait le bras et essayait de m'entraîner. Il me poussait vers elle. « Elle est belle, hein… ? et encore tu n'as pas tout vu… » J'essayais de me dégager, mais il était vraiment poisseux. Chaque fois, il me prenait de nouveau le bras. La femme avait un sourire narquois. Il devait être ivre et il rapprochait son visage du mien pour me parler. Il ne sentait pas l'alcool, mais une drôle d'eau de toilette, l'*Aqua di selva*. Je l'ai poussé violemment du revers du bras. Il m'a regardé, bouche bée, l'air déçu.

Je me suis engagé dans la rue de la Coutellerie, une petite rue oblique et déserte, juste avant l'Hôtel de Ville. Au cours des années suivantes — et même pas plus tard qu'aujourd'hui — j'y suis revenu pour essayer de comprendre le malaise qu'elle m'avait causé la première fois. Le malaise est toujours là. Ou plutôt la sensation de glisser dans un monde parallèle, en dehors du temps. Il suffit que je longe cette rue et je me rends compte que le passé est définitivement révolu sans que je sache très bien dans quel présent je vis. Elle est un simple passage que les voitures prennent en trombe, la nuit. Une rue oubliée et à laquelle personne n'a jamais fait attention. Cette nuit-là, j'avais remarqué une lumière rouge sur le trottoir de gauche. Cela s'appelait Les Calanques. J'y suis entré. La lumière tombait d'un lampion, au plafond. Quatre personnes jouaient aux cartes à l'une des tables. Un homme brun à moustaches s'est levé et s'est dirigé vers moi. « Pour dîner, monsieur ? C'est au premier étage. » Je l'ai suivi dans l'escalier. Là aussi, une seule table était occupée par quatre personnes, deux femmes et deux hommes — près de la baie vitrée. Il m'a désigné la première table à gauche, au débouché de l'escalier. Les autres ne m'ont prêté aucune attention. Ils parlaient bas, un murmure ponctué par des rires. Des paquets de cadeaux étaient ouverts sur la table, comme s'ils célébraient un anniversaire, ou qu'ils fêtaient un réveillon. La carte du menu, sur la nappe rouge. J'ai lu : Waterzoï de poisson. Les noms des autres plats étaient écrits en caractères minuscules que je ne parvenais pas à déchiffrer sous la lumière vive, presque blanche. À côté de moi, ils pouffaient de rire.

WATERZOÏ DE POISSON. Je me suis demandé quels pouvaient bien être les clients de cet endroit. Les membres d'une confrérie qui se communiquaient l'adresse à voix basse ou bien, le temps n'ayant plus cours dans cette rue, des gens égarés autour d'une table, pour l'éternité ? Je ne savais plus très bien pourquoi j'avais échoué ici. Sans doute était-ce le départ d'Hélène Navachine qui me causait ce sentiment de malaise. Et puis nous étions un dimanche soir, et les dimanches soir laissent de drôles de souvenirs, comme de petites parenthèses de néant dans votre vie. Il fallait rentrer au collège ou à la caserne. Vous attendiez sur le quai d'une gare dont vous ne vous rappelez plus le nom. Un peu plus tard, vous dormiez d'un mauvais sommeil sous les veilleuses bleues d'un dortoir. Et maintenant, je me trouvais aux Calanques assis à une table recouverte d'une nappe rouge, et le menu proposait un waterzoï de poisson. Là-bas, ils pouffaient de rire. L'un des deux hommes s'était coiffé d'un bonnet d'astrakan noir. Ses lunettes et son mince visage français contrastaient avec cette coiffure de lancier russe ou polonais. Une chapska. Oui, cela s'appelait une chapska. Et il se penchait pour embrasser sa voisine blonde au creux de l'épaule, mais elle ne se laissait pas faire. Et les autres riaient. Avec la meilleure volonté, il m'était impossible de partager leurs rires. Je crois que si je m'étais avancé vers leur table, ils ne m'auraient pas vu et, si je leur avais adressé la parole, ils n'auraient même pas entendu le son de ma voix. J'essayais de m'attacher à des détails concrets. Les Calanques, 4, rue de la Coutellerie. Le malaise venait peut-être de la situation topographique de cette rue. Elle débouchait sur les grands immeubles de la préfecture de police, au bord de la Seine. Aucune lumière aux fenêtres de ces immeubles. Je restais assis à la table, pour retarder le moment où je me retrouverais seul dans ces parages. Même la pensée des lumières de la place du Châtelet ne me rassurait pas. Ni plus loin, Saint-Germain-l'Auxerrois qu'il faudrait atteindre par les quais déserts. L'autre avait retiré sa chapska et s'épongeait le front. Personne ne se présentait pour prendre ma commande. D'ailleurs, j'aurais été incapable d'avaler la moindre bouchée. Un waterzoï de poisson dans un restaurant qui s'appelait Les Calanques... Ce mélange avait quelque chose d'inquiétant. J'étais de moins en moins sûr de pouvoir surmonter l'angoisse des dimanches soir.

*

Dehors, je me suis demandé s'il ne fallait pas attendre de nouveau l'autobus de nuit. Mais une panique m'a pris à la perspective de retourner seul dans ma chambre d'hôtel. Le quartier de la porte d'Orléans m'a soudain paru lugubre, peut-être parce qu'il me rappelait un passé récent : la silhouette de mon père s'éloignant vers Montrouge, on aurait cru à la rencontre d'un peloton d'exécution, et tous nos rendez-vous manqués dans les Zeyer, Rotonde et les Terminus de cet arrière-pays... C'était l'heure où j'aurais eu besoin de la compagnie d'Hélène Navachine. Avec elle, il m'aurait semblé rassurant de revenir dans ma chambre et nous aurions même fait le chemin à pied à travers les rues mortes du dimanche soir. Nous aurions ri encore plus fort que le type en chapska et ses convives, tout à l'heure aux Calanques.

Pour me donner du courage, je me suis dit que tout n'était pas aussi funèbre que cela dans le quartier de la porte d'Orléans. Les jours d'été, là-bas, le grand lion de bronze était assis sous les feuillages et, chaque fois que je le regardais de très loin, sa présence à l'horizon me rassurait. Il veillait sur le passé, mais aussi sur l'avenir. Cette nuit, le lion me servirait de point de repère. J'avais confiance dans cette sentinelle.

J'ai pressé le pas jusqu'à Saint-Germain-l'Auxerrois. Quand j'ai atteint les arcades de la rue de Rivoli, alors c'était comme si l'on m'avait réveillé brusquement. Les Calanques... Le type en chapska qui essayait d'embrasser la blonde... Le long des arcades, j'avais l'impression de revenir à l'air libre. À gauche, le palais du Louvre et bientôt les Tuileries de mon enfance. À mesure que j'avancerais vers la Concorde, je tâcherais de deviner ce qu'il y avait derrière les grilles du jardin, dans l'obscurité : le premier bassin, le théâtre de verdure, le manège, le deuxième bassin... Il suffisait maintenant de quelques pas pour respirer l'air du large. Tout droit. Et le lion, au bout, assis en sentinelle, au milieu du carrefour... Cette nuit-là, la ville était plus mystérieuse que d'habitude. Et d'abord je n'avais jamais connu un silence aussi profond autour de moi. Pas une seule voiture. Tout à l'heure, je traverserais la place de la Concorde sans me soucier des feux rouges et verts, comme on traverse une prairie. Oui, j'étais de nouveau dans un rêve, mais plus paisible que celui de tout à l'heure, aux Calanques. La voiture a surgi au moment où j'atteignais la place des Pyramides et, en éprouvant cette douleur à la jambe, je me suis dit que j'allais me réveiller.

Dans la chambre de la clinique Mirabeau, après l'accident, j'avais eu le temps de réfléchir. Je m'étais d'abord souvenu de ce chien qui s'était fait écraser un après-midi de mon enfance, puis un événement qui datait de la même époque me revenait peu à peu à la mémoire. Jusque-là, je crois que j'avais évité d'y penser. Seule l'odeur de l'éther me l'évoquait quelquefois, cette odeur noire et blanche qui vous entraîne jusqu'à un point d'équilibre fragile entre la vie et la mort. Une fraîcheur et l'impression de respirer enfin à l'air libre, mais aussi, par moments, une lourdeur de suaire. La nuit précédente, à l'Hôtel-Dieu, quand le type m'avait appliqué sur le visage une muselière pour m'endormir, alors je m'étais rappelé que j'avais déjà vécu cela. La même nuit, le même accident, la même odeur d'éther.

C'était à la sortie d'une école. La cour donnait sur une avenue légèrement en pente, bordée d'arbres et de maisons dont je ne savais plus si c'étaient des villas, des maisons de campagne ou des pavillons de banlieue. Pendant toute mon enfance, j'avais séjourné dans des endroits si divers que je finissais par les confondre. Le souvenir que je gardais de cette avenue se mêlait peut-être avec celui d'une avenue de Biarritz ou d'une rue en pente de Jouy-en-Josas. À la même époque, j'avais habité quelque temps ces deux localités et je crois que le chien s'était fait écraser rue du Docteur-Kurzenne, à Jouy-en-Josas.

Je sortais de la salle de classe à la fin de l'après-midi. Ce devait être l'hiver. Il faisait nuit. J'attendais sur le trottoir que quelqu'un vienne me chercher. Il ne restait bientôt plus personne autour de moi. La porte de l'école était fermée. Plus de lumière derrière les vitres. Je ne savais pas quel chemin il fallait suivre jusqu'à la maison. J'ai voulu traverser l'avenue, mais à peine avais-je quitté le trottoir qu'une camionnette a freiné brusquement et m'a renversé. J'étais blessé à la cheville. Ils m'ont allongé à l'arrière sous la bâche. L'un des deux hommes était avec moi. Quand le moteur s'est mis en marche, une femme est montée. Je la connaissais. J'habitais avec elle dans la maison. Je revois son visage. Elle était jeune, environ vingt-cinq ans, les cheveux blonds ou châtain clair, une cicatrice sur la joue. Elle s'est penchée vers moi et m'a pris par la main. Elle était essoufflée comme si elle avait couru. Elle expliquait à l'homme, à côté de nous, qu'elle était arrivée trop tard à cause d'une panne de voiture. Elle lui a dit « qu'elle venait de Paris ». La camionnette s'est arrêtée devant les grilles d'un jardin. L'un des hommes me portait et nous traversions le jardin. Elle me tenait toujours par la main. Nous sommes entrés dans la maison. J'étais allongé sur un lit. Une chambre aux murs blancs. Deux bonnes sœurs se sont penchées vers moi, leurs visages serrés dans leurs coiffes blanches. Elles m'ont appliqué sur le nez la même muselière noire que celle de l'Hôtel-Dieu. Et avant de m'endormir, j'ai senti l'odeur blanche et noire de l'éther.

*

Cet après-midi-là, à la sortie de la clinique, j'avais suivi le quai, vers le pont de Grenelle. J'essayais de me souvenir de ce qui s'était passé autrefois à mon réveil, chez les bonnes sœurs. Après tout, la chambre aux murs blancs où l'on m'avait emmené ressemblait à celle de la clinique Mirabeau. Et l'odeur de l'éther était la même qu'à l'Hôtel-Dieu. Cela pouvait m'aider dans ma recherche. On dit que ce sont les odeurs qui ressuscitent le mieux le passé, et celle de l'éther avait toujours eu un curieux effet sur moi. Elle me semblait l'odeur même de mon enfance, mais comme elle était liée au sommeil et qu'elle effaçait aussi la douleur, les images qu'elle dévoilait se brouillaient aussitôt. C'était sans doute à cause de cela que j'avais, de mon enfance, un souvenir si confus. L'éther provoquait à la fois la mémoire et l'oubli.

La sortie de l'école, la camionnette bâchée, la maison des bonnes sœurs... Je cherchais d'autres détails. Je me voyais à côté de la femme dans une voiture, elle ouvrait un portail et la voiture suivait une allée... Elle avait une chambre au premier étage de la maison, la dernière au bout du couloir. Mais ces morceaux de souvenir étaient si vagues que je ne parvenais pas à les retenir. Seul le visage était net avec la cicatrice sur la joue, et j'étais vraiment convaincu que ce visage était le même que celui de l'autre nuit, à l'Hôtel-Dieu.

En longeant le quai, j'étais arrivé au coin de la rue de l'Alboni, dans la trouée où passe le métro aérien. Le square était un peu plus loin, perpendiculaire à la rue. Je me suis arrêté, au hasard, devant un immeuble massif avec une porte en verre et en ferronnerie noire. J'ai eu la tentation de franchir la porte cochère, de demander à la concierge l'étage de Jacqueline Beausergent et, si elle habitait bien là, de sonner chez elle. Mais ce n'était vraiment pas dans ma nature de me présenter à l'improviste chez les gens. Je n'avais jamais sollicité quelqu'un, ni réclamé l'aide de personne.

Combien de temps s'était écoulé entre cet accident à la sortie de l'école et celui de l'autre nuit, place des Pyramides ? Quinze ans, à peine. La femme du car de police et de l'Hôtel-Dieu paraissait jeune. On ne change pas beaucoup en quinze ans. J'ai monté les escaliers jusqu'à la station de métro Passy. Et, en attendant la rame sur le quai de la petite gare, je cherchais les indices qui me permettraient de savoir si cette femme du square de l'Alboni était la même que celle d'il y avait quinze ans. Il faudrait aussi mettre un nom sur l'endroit où se trouvaient l'école, la maison des bonnes sœurs, et l'autre maison où j'avais dû habiter un certain temps et où elle avait sa chambre au fond du couloir. Cela remontait à l'époque des séjours à Biarritz et à Jouy-en-Josas. Avant ? Entre les deux ? Dans l'ordre chronologique, d'abord Biarritz puis Jouy-en-Josas. Et après Jouy-en-Josas, le retour à Paris et les souvenirs qui devenaient de plus en plus nets, parce que j'avais atteint ce qu'on appelle l'âge de raison. Seul mon père aurait pu me donner un vague renseignement, mais il s'était évanoui dans la nature. C'était donc à moi de me débrouiller, et d'ailleurs cela me semblait bien naturel. Le métro traversait la Seine en direction de la rive gauche. Il longerait des façades dont chaque fenêtre éclairée était aussi pour moi une énigme. À ma grande surprise, un soir de la semaine qui avait précédé l'accident, j'étais tombé sur le docteur Bouvière dans le métro. Il ne s'était pas du tout étonné de notre rencontre et il m'avait expliqué que les mêmes situations, les mêmes visages reviennent souvent dans notre vie. À l'une de nos prochaines réunions, il développerait le thème de l'« éternel retour », m'avait-il dit. J'avais senti qu'il était sur le point de me faire une confidence. « Vous avez sans doute été surpris de me voir dans un drôle d'état l'autre jour. » Il me fixait d'un regard presque tendre. Il ne lui restait plus aucune ecchymose sur le visage et sur le cou. « Voyez-vous, mon petit... Il y a quelque chose que je me suis longtemps caché à moi-même... quelque chose que je n'ai jamais assumé au grand jour. » Puis il s'était ressaisi. Il avait secoué la tête. « Excusez-moi... » Il m'avait souri. Il était visiblement soulagé d'avoir retenu, au dernier instant, un aveu très lourd. Il avait parlé de choses insignifiantes avec une trop grande volubilité, comme s'il voulait brouiller les pistes. Il s'était levé et il était descendu à la station Pigalle. J'étais un peu inquiet pour lui.

*

À la sortie du métro, cette fin d'après-midi-là, j'étais passé dans une pharmacie. J'avais présenté l'ordonnance que l'on m'avait donnée à la clinique en demandant comment je devais mettre les pansements. Le pharmacien avait voulu savoir la cause de ma blessure. Quand je lui avais expliqué que je m'étais fait renverser par une auto, il m'avait dit : « J'espère que vous avez porté plainte... » Le pharmacien insistait : « Alors, vous avez porté plainte ?... » Et je n'avais pas osé lui montrer le papier que j'avais signé à la clinique Mirabeau. Il me semblait bizarre, ce papier. Je comptais le relire à tête reposée, dans ma chambre. Au moment où je quittais la pharmacie, il m'avait dit : « Et chaque fois, n'oubliez pas de désinfecter la plaie avec le mercurochrome. »

De retour à l'hôtel, j'ai téléphoné aux Renseignements pour connaître le numéro de Jacqueline Beausergent, square de l'Alboni. Inconnue à tous les numéros de ce square. Ma chambre m'a paru plus petite que d'habitude, comme si je la retrouvais après plusieurs années d'absence ou même que j'y avais habité dans une vie antérieure. Se pouvait-il que l'accident de l'autre nuit eût causé une telle fracture dans ma vie que désormais il existât un avant et un après ? J'ai compté les billets de banque. En tout cas, je n'avais jamais été aussi riche. Finies pour quelque temps les courses harassantes à travers Paris où je fourguais à un libraire avec un pauvre bénéfice ce que je venais d'acheter à un autre libraire.

Ma cheville me faisait mal. Je ne me sentais pas le courage de changer le pansement. Je m'étais allongé sur le lit, les mains croisées derrière la tête, et j'essayais de réfléchir au passé. Je n'en avais pas l'habitude. Depuis longtemps, je m'étais efforcé d'oublier mon enfance, sans jamais avoir éprouvé pour elle beaucoup de nostalgie. Je ne possédais aucune photo, aucune trace matérielle de cette époque, sauf un vieux carnet de vaccinations. Oui, à y bien réfléchir, l'épisode de la sortie de l'école, de la camionnette et des bonnes sœurs se situait entre Biarritz et Jouy-en-Josas. J'avais donc environ six ans. Après Jouy-en-Josas, c'était Paris et l'école communale de la rue du Pont-de-Lodi, puis les différents pensionnats et les casernes à travers la France : Saint-Lô, la Haute-Savoie, Bordeaux, Metz, Paris de nouveau, jusqu'à aujourd'hui. En somme, le seul mystère de ma vie, le seul maillon qui n'était pas relié aux autres, c'était ce premier accident avec la camionnette et cette jeune femme ou cette jeune fille qui, ce soir-là, était en retard « parce qu'elle était tombée en panne et qu'elle venait de Paris ». Et il avait fallu le choc de l'autre nuit, place des Pyramides, pour que cet épisode oublié remonte à la surface. Qu'en aurait pensé le docteur Bouvière ? Aurait-il pu se servir de cet exemple parmi tant d'autres pour illustrer dans la prochaine réunion de Denfert-Rochereau le thème de l'éternel retour ? Mais ce n'était pas seulement cela. Il me semblait que dans ma vie une brèche s'était ouverte sur un horizon inconnu.

Je me suis levé et j'ai pris sur l'étagère la plus haute du placard la boîte en carton bleu marine où j'avais rangé tous ces vieux papiers qui prouveraient plus tard mon passage sur la terre. Un extrait d'acte de naissance que je venais de demander à la mairie de Boulogne-Billancourt pour me faire délivrer un passeport, un certificat de l'académie de Grenoble prouvant que j'avais obtenu le baccalauréat, une carte de membre de la Société protectrice des animaux, et, dans mon livret militaire, mon acte de baptême dressé à la paroisse Saint-Martin de Biarritz et ce très vieux carnet de vaccinations. Je l'ai ouvert et j'ai consulté pour la première fois la liste des vaccins avec leurs dates : l'un d'eux avait été fait à Biarritz par un certain docteur Valat. Puis, six mois plus tard, un autre vaccin comme l'indiquait le tampon d'un docteur Divoire, à Fossombronne-la-Forêt, Loir-et-Cher. Puis un autre, bien des années plus tard, à Paris... je l'avais trouvé, cet indice. Il serait une aiguille perdue à jamais dans une botte de foin, ou alors, si j'avais de la chance, un fil grâce auquel je remonterais le cours du temps : docteur Divoire, Fossombronne-la-Forêt.

Puis j'ai relu le compte rendu de l'accident que le brun massif m'avait donné à la sortie de la clinique et dont il avait gardé un double. Je n'avais pas réalisé, sur le moment, qu'il était écrit en mon propre nom et qu'il commençait par : « Je soussigné... » Et les termes employés laissaient supposer que c'était moi le responsable de l'accident... « Au moment de traverser la place des Pyramides, à la hauteur des arcades de la rue de Rivoli et en direction de la Concorde, je n'ai pas prêté attention à l'arrivée de la voiture de marque Fiat, couleur vert d'eau, immatriculée 3212FX75. La conductrice, Mlle Jacqueline Beausergent, a essayé de m'éviter, de sorte que la voiture a percuté l'une des arcades de la place… » Oui, c'était sans doute la vérité. Cette voiture n'allait pas vite et j'aurais dû regarder à gauche avant de traverser, mais, cette nuit-là, j'étais dans un état second. Jacqueline Beausergent. Aucune personne de ce nom, square de l'Alboni, m'avait-on annoncé aux Renseignements. Mais c'était parce qu'elle ne figurait pas dans l'annuaire. J'avais demandé combien de numéros d'immeubles dans ce square. Treize. Avec un peu de patience, je finirais bien par savoir quel était le sien.

Plus tard, je suis descendu de ma chambre et j'ai de nouveau téléphoné aux Renseignements. Pas de docteur Divoire à Fossombronne-la-Forêt. J'ai marché en boitant un peu jusqu'à la petite librairie, au début du boulevard Jourdan. J'y ai acheté une carte Michelin du Loir-et-Cher. J'ai fait demi-tour en direction du café Babel. Ma jambe était douloureuse. Je me suis assis à l'une des tables de la terrasse vitrée. J'ai été surpris de voir à l'horloge qu'il n'était que sept heures du soir et j'ai vraiment regretté le départ d'Hélène Navachine. J'aurais voulu parler à quelqu'un. Marcher jusqu'à l'immeuble de Geneviève Dalame, un peu plus loin ? Mais elle devait être en compagnie du docteur Bouvière, si celui-ci ne se trouvait pas encore à Pigalle. Il faut laisser les gens vivre leur vie. Voyons, je n'allais quand même pas sonner chez Geneviève Dalame à l'improviste... Alors j'ai déplié la carte Michelin et j'ai mis très longtemps à découvrir Fossombronne. Mais cela me tenait vraiment à cœur et me faisait oublier ma solitude. Square de l'Alboni. Fossombronne-la-Forêt. J'étais sur le point d'apprendre quelque chose d'important sur moi-même et qui peut-être changerait le cours de ma vie.

Sur le quai, à l'entrée de la rue de l'Alboni, deux cafés se faisaient face. Le plus fréquenté était celui de droite : on y vendait des cigarettes et des journaux. J'ai fini par demander au patron du lieu s'il connaissait une certaine Jacqueline Beausergent. Non, cela ne lui disait rien. Une femme blonde qui habitait dans les parages. Elle avait eu un accident de voiture. Non, il ne voyait pas, mais peut-être pouvais-je me renseigner au grand garage, plus loin, sur le quai, avant les jardins du Trocadéro, celui qui était spécialisé dans la vente des voitures américaines. Ils avaient pas mal de clients dans le quartier. Elle avait été blessée au visage ? Ça se repère, ces choses-là. Demandez donc au garage. Il n'était pas surpris de ma question, et il y avait répondu d'une voix courtoise, un peu lasse, mais je regrettais d'avoir prononcé devant lui le nom de Jacqueline Beausergent. Il faut attendre que les autres viennent à vous d'un mouvement naturel. Pas de gestes trop brusques. Rester immobile et silencieux et se fondre dans le décor. Je m'asseyais toujours à la table la plus retirée. Et j'attendais. J'étais quelqu'un qui s'arrête au bord d'un étang au crépuscule et laisse son regard s'accommoder à la pénombre avant de voir toute l'agitation des eaux dormantes. En me promenant dans les rues voisines, j'étais de plus en plus persuadé que je la retrouverais sans rien demander à personne. Je marchais dans une zone sensible et j'avais mis beaucoup de temps pour y accéder. Tous mes périples dans Paris, les trajets de mon enfance de la rive gauche au bois de Vincennes et au bois de Boulogne, du sud au nord, les rencontres avec mon père, et mes propres déambulations au cours des dernières années, tout cela m'avait conduit vers ce quartier à flanc de colline, au bord de la Seine, un quartier dont on pouvait dire simplement qu'il était « résidentiel » ou « anonyme ». On m'y avait donné rendez-vous dans une lettre que j'avais reçue la veille et qui avait été égarée pendant quinze ans. Mais il n'était pas trop tard pour moi : quelqu'un m'attendait encore derrière l'une de ces fenêtres, toutes les mêmes, aux façades de ces immeubles que l'on confondait les uns avec les autres.

*

Un matin que j'étais assis dans le café de droite, au coin du quai et de la rue de l'Alboni, un homme est entré en compagnie d'un autre et ils ont pris place au comptoir. J'ai tout de suite reconnu le brun massif. Son manteau foncé était le même que celui qu'il portait la nuit de l'accident et à ma sortie de la clinique Mirabeau.

Je tâchais de garder mon sang-froid. Il n'avait pas remarqué ma présence. Je les voyais de dos, tous les deux, assis au comptoir. Ils parlaient très bas. L'autre prenait des notes sur un carnet et hochait de temps en temps la tête en écoutant ce que lui disait le brun massif. J'étais à une table assez proche du comptoir, mais je ne saisissais pas la moindre de leurs paroles. Pourquoi m'avait-il donné cette impression de « brun massif » quand nous étions côte à côte, la femme et moi, sur le canapé du hall et qu'il avait marché vers nous ? À cause du choc de l'accident, ma vue s'était sans doute brouillée. Et l'autre jour, à la sortie de la clinique, je n'avais pas vraiment retrouvé mes esprits. En fait, sa silhouette ne manquait pas d'une certaine élégance, mais les cheveux plantés bas et les traits du visage avaient quelque chose de brutal et m'évoquaient un acteur américain dont j'avais oublié le nom.

J'ai hésité quelques instants. Il fallait quand même profiter de l'occasion. Je me suis levé et je suis venu m'accouder au comptoir à côté de lui. Il me tournait à moitié le dos et je me penchais pour attirer son attention. C'est l'autre qui a remarqué que je voulais lui parler. Il lui a tapé sur l'épaule en me désignant du doigt. Il s'est retourné vers moi. Je restais muet, mais je ne crois pas que c'était uniquement par timidité. Je cherchais les mots. J'espérais qu'il me reconnaîtrait. Mais il me considérait d'un regard surpris et ennuyé. « Heureux de vous revoir », lui ai-je dit en lui tendant la main. Il l'a serrée d'un geste distrait. « Nous nous sommes déjà vus ? » m'a-t-il demandé en fronçant les sourcils. « La dernière fois, pas très loin d'ici. À la clinique Mirabeau. » L'autre me dévisageait aussi, d'un œil froid. « Pardon ? Je ne comprends pas… » Il flottait sur ses lèvres un sourire. « Vous dites où ? — À la clinique Mirabeau. — Vous faites erreur… » Son regard allait de haut en bas, peut-être voulait-il évaluer la menace que je représentais pour lui. Il a remarqué ma chaussure gauche. J'avais agrandi la fente du mocassin, à cause du pansement. Si j'ai bonne mémoire, j'avais même découpé la plus grande partie du cuir pour laisser libre le cou-de-pied et je portais le pansement sans chaussette, comme le bandage que l'on met parfois aux chevilles des pur-sang à cause de leur fragilité. « C'est l'accident », lui ai-je dit. Mais il avait l'air de ne pas comprendre. « Oui, l'accident de l'autre nuit… place des Pyramides… » Il me considérait en silence. J'avais l'impression qu'il me narguait. « Justement, lui ai-je dit, je voulais avoir des nouvelles de Jacqueline Beausergent… » Il avait mis une cigarette à sa bouche, et l'autre lui tendait un briquet,

99

sans me quitter lui non plus du regard. « Je ne comprends rien à ce que vous me dites, monsieur. » Le ton était assez méprisant, celui que l'on emploie pour un clochard ou un ivrogne. Le patron du café s'était approché de nous, surpris de mon attitude vis-à-vis d'un client qu'il semblait respecter — et même craindre. Et c'était vrai qu'il y avait quelque chose d'inquiétant dans ce visage et ces cheveux bruns plantés bas. Et même dans le timbre de la voix, légèrement enrouée. Mais cela ne me faisait pas peur. Depuis mon enfance, j'avais vu tant de personnages étranges en compagnie de mon père... Cet homme n'était pas plus redoutable que les autres. « Je voulais vous dire aussi... je n'ai vraiment pas besoin de tout cet argent... » Et j'ai sorti de la poche intérieure de ma canadienne la liasse de billets qu'il m'avait remise à la sortie de la clinique Mirabeau et que je gardais toujours sur moi. Il a eu un geste sec et dédaigneux de la main. « Désolé, monsieur... ça suffit comme ça... » Puis il s'est retourné vers son voisin. Ils avaient repris leur conversation à voix basse en ignorant désormais ma présence. Je suis allé me rasseoir à la table. Derrière le comptoir, le patron me fixait en hochant la tête, l'air de me signifier que j'étais un impertinent et que je l'avais échappé belle. Pourquoi ? J'aurais bien aimé le savoir.

Quand ils ont quitté le café, ils n'ont pas eu un regard pour moi. Derrière la vitre, je les ai vus marcher sur le trottoir du quai. J'ai hésité à les suivre. Non, il ne fallait pas brusquer les choses. Et je regrettais déjà d'avoir perdu mon sang-froid devant cet homme. J'aurais dû rester dans mon coin, sans attirer son attention, et attendre son départ pour le suivre. Et savoir qui il était et s'il pouvait me guider jusqu'à elle. Mais en gâchant cette occasion, je craignais d'avoir coupé les ponts.

Le patron, derrière son comptoir, me considérait toujours avec une certaine réprobation. « J'ai dû faire erreur sur la personne, lui ai-je dit. Vous connaissez le nom de ce monsieur ? » Il a hésité un instant, puis il a lâché, comme à regret : « Solière. » Il a dit que j'avais de la chance que ce Solière n'ait pas pris trop mal mon attitude envers lui. Quelle attitude ? Une voiture m'avait renversé l'autre nuit, et je cherchais simplement à identifier et à retrouver le conducteur. N'était-ce pas légitime de ma part ? Je crois que j'avais réussi à le convaincre. Il a souri. « Je comprends… — Et c'est qui, au juste, ce Solière ? » lui ai-je demandé. Son sourire s'est élargi. Ma question semblait l'amuser. « Ce n'est pas un enfant de chœur, m'a-t-il dit. Non, ça n'est pas un enfant de chœur… » Je sentais au ton évasif de sa voix que je n'en saurais pas plus. « Il habite dans le quartier ? — Il a habité dans le quartier, mais plus maintenant, je crois… — Et vous savez s'il est marié ? — Je ne pourrais pas vous le dire. » L'arrivée d'autres clients a interrompu notre conversation.

D'ailleurs, il ne faisait plus attention à moi. J'étais vraiment présomptueux de croire qu'il attachait de l'importance aux mots que j'avais échangés tout à l'heure avec Solière. Les clients entrent et sortent, ils chuchotent entre eux. On entend aussi des éclats de voix. Parfois même, très tard dans la nuit, on est obligé d'appeler police secours. Dans ce brouhaha et ce va-et-vient, on finit par retenir quelques têtes, quelques noms. Mais pas pour bien longtemps.

*

Je me disais qu'avec un peu de chance je verrais réapparaître la voiture en stationnement, aux alentours. J'avais marché jusqu'au grand garage, sur le quai, et demandé à l'homme des pompes à essence si, parmi sa clientèle, il ne connaissait pas une femme blonde qui venait d'avoir un accident et s'était blessée au visage. Elle conduisait une Fiat couleur vert d'eau. Il avait réfléchi un moment. Non, il ne voyait pas. Il y avait tellement de passage sur le quai... On aurait dit une autoroute. Il ne faisait même plus attention à la tête des clients. Beaucoup trop de clients. Et de Fiat. Et tellement de blondes... Je me suis retrouvé un peu plus loin, dans les jardins du Trocadéro. J'ai cru d'abord que je marchais dans ces jardins pour la première fois, mais devant le bâtiment de l'Aquarium, un très vague souvenir d'enfance m'a visité. J'ai pris un ticket et je suis entré. Je suis resté longtemps à observer les poissons derrière les vitres. Leurs couleurs phosphorescentes m'évoquaient quelque chose. On m'avait emmené là, mais je n'aurais pas pu dire à quelle époque précise. Avant Biarritz ? Entre Biarritz et Jouy-en-Josas ? Ou alors au début de mon retour à Paris, quand je n'avais pas encore tout à fait l'âge de raison ? Il me semblait que c'était dans la même période que celle où la camionnette m'avait renversé à la sortie de l'école. Et puis en contemplant les poissons dans le silence, je me suis rappelé la réponse que m'avait faite le patron du café, quand je lui avais demandé qui était exactement le dénommé Solière : « Ce n'est pas un enfant de chœur. » Moi, j'avais été enfant de chœur, une seule fois dans ma vie. Je n'y pensais jamais, et le souvenir avait brusquement resurgi. À la messe de minuit, dans l'église d'un village. Et j'avais beau fouiller dans ma mémoire, cela ne pouvait être qu'à Fossombronne-la-Forêt, là où se trouvaient l'école, la maison des bonnes sœurs et un certain docteur Divoire dont on m'avait indiqué aux Renseignements qu'il ne figurait plus dans l'annuaire. C'était elle et pas une autre qui m'avait emmené à la messe de minuit et à l'Aquarium du Trocadéro. Sous la bâche de la camionnette, elle me tenait la main et son visage se penchait vers moi. Le souvenir était beaucoup plus net dans cette salle silencieuse qu'éclairait la lumière des aquariums. Au retour de la messe de minuit, le long de la petite rue, jusqu'au portail de la maison, quelqu'un me tenait la main. La même personne. Et j'étais venu ici, à la même époque, j'avais contemplé les mêmes poissons multicolores qui glissaient derrière les vitres, dans le silence. Je n'aurais pas été surpris d'entendre des pas derrière moi et, en me retournant, de la voir s'approcher comme si toutes ces années n'avaient compté pour rien. D'ailleurs, de Fossombronne-la-Forêt à Paris, nous faisions le trajet dans la même voiture que celle qui m'avait renversé place des Pyramides, une voiture couleur vert d'eau. Elle n'avait jamais cessé de tourner la nuit, dans les rues de Paris, à ma recherche.

À la sortie de l'Aquarium, le froid m'a saisi. Sur les allées et les pelouses du jardin, il y avait des petits tas de neige. Le ciel était d'un bleu limpide. Pour la première fois de ma vie, j'avais l'impression d'y voir clair. Ce bleu, sur lequel se découpait avec netteté le palais de Chaillot, ce froid vif après des années et des années de torpeur… L'accident de l'autre nuit était venu au bon moment. J'avais besoin d'un choc qui me réveille de ma léthargie. Je ne pouvais plus continuer à marcher dans le brouillard… Et c'était arrivé quelques mois avant que j'atteigne l'âge de la majorité. Quelle drôle de coïncidence. J'avais été sauvé de justesse. Cet accident serait sans doute l'un des événements les plus déterminants de ma vie. Un rappel à l'ordre.

L'école et la camionnette bâchée… C'était la première fois que je me retournais vers le passé. Il avait fallu pour cela le ~hoc de l'accident de l'autre nuit. Jusqu'alors j'avais vécu au jour le jour. J'étais un automobiliste sur une route recouverte de verglas et dont on aurait dit qu'il n'avait pas de visibilité. Il fallait éviter de regarder en arrière. Peut-être m'étais-je engagé sur un pont trop étroit. Impossible de faire demi-tour. Un seul regard dans le rétroviseur et j'allais succomber au vertige. Mais aujourd'hui je pouvais, sans crainte, considérer de haut toutes ces pauvres années écoulées. C'était comme si un autre que moi-même avait une vue plongeante sur ma vie, ou que j'observais sur un écran lumineux ma propre radiographie. Tout était si net, les lignes si précises et si épurées... Il ne restait que l'essentiel : la camionnette, ce visage qui se penche vers moi sous la bâche, l'éther, la messe de minuit et le chemin du retour jusqu'au portail de la maison où sa chambre était au premier étage, au fond du couloir.

J'ai repéré un hôtel après le pont de Bir-Hakeim, dans la petite avenue qui donnait sur le quai. Au bout de trois jours, je n'avais plus envie de retourner dormir porte d'Orléans, et j'ai pris une chambre dans cet hôtel Fremiet dont je me demandais quels étaient les autres clients. Une chambre plus confortable que celle de la rue de la Voie-Verte, avec un téléphone et même une salle de bains. Mais je pouvais me permettre ce luxe grâce aux billets que m'avait remis le dénommé Solière à la sortie de la clinique, et qu'il avait refusé que je lui rende. Tant pis pour lui. J'étais vraiment idiot d'avoir des scrupules. Après tout, il n'était pas un enfant de chœur.

La nuit, dans cette chambre, j'ai décidé de ne plus jamais revenir rue de la Voie-Verte. J'avais emporté quelques vêtements et la boîte en carton bleu marine où étaient rangés mes vieux papiers. Il fallait bien que je me rende à l'évidence : là-bas, il ne resterait aucune trace de moi. Et, loin de m'attrister, cette pensée me donnait du courage pour l'avenir. J'étais débarrassé d'un poids.

Je rentrais tard à l'hôtel. J'allais dîner dans une grande salle de restaurant, après les escaliers et la gare du métro. Je me souviens encore du nom de l'établissement : La Closerie de Passy. Pas beaucoup de monde. Certains soirs, je m'y suis trouvé seul avec la patronne, une femme brune aux cheveux très courts, et le serveur, qui portait une veste blanche de yachtman. Chaque fois, j'avais l'espoir que Jacqueline Beausergent entrerait et se dirigerait vers le bar, comme le faisaient deux ou trois personnes qui s'asseyaient et parlaient avec la patronne. Je choisissais la table la plus proche de l'entrée. Je me lèverais et je marcherais vers elle. J'avais déjà décidé de ce que je lui dirais… « Nous avons eu tous les deux un accident place des Pyramides… » Il suffisait de me voir marcher. Le mocassin fendu, le pansement… À l'hôtel Fremiet, l'homme de la réception m'avait considéré en fronçant les sourcils. Il restait aussi la tache de sang sur ma canadienne. Je sentais qu'il se méfiait. Je lui avais payé d'avance la chambre pour quinze jours.

Mais la patronne de La Closerie n'était pas impressionnée par mon pansement et la tache de sang sur ma vieille canadienne. Apparemment, elle en avait vu d'autres, et dans des quartiers moins calmes que celui-ci. À côté du bar, un perroquet occupait une grande cage jaune. Des dizaines d'années plus tard, je feuilletais une revue de cette époque, et, sur la dernière page, il y avait des publicités de restaurants. L'une d'elles m'a sauté aux yeux : « La Closerie de Passy et son perroquet Pépère. Ouvert tous les jours de la semaine. » Une phrase anodine en apparence, mais elle m'a fait battre le cœur. Une nuit, je me sentais si seul que j'avais préféré m'asseoir au bar avec les autres et je devinais chez la patronne une certaine compassion pour moi, à cause de ma canadienne tachée, de mon pansement et de ma maigreur. Elle me conseillait de boire du Viandox. Et quand je lui avais posé une question sur le perroquet, elle m'avait dit : « Si vous voulez, vous pouvez lui apprendre une phrase... » Alors, j'avais réfléchi et fini par prononcer le plus clairement possible : « JE CHERCHE UNE VOITURE FIAT COULEUR VERT D'EAU. » Je n'avais pas eu besoin de lui apprendre longtemps cette phrase. Sa façon de la répéter était plus brève et plus efficace : « VOITURE FIAT COULEUR VERT D'EAU », et sa voix plus aiguë et plus impérieuse que la mienne.

La Closerie de Passy n'existe plus et il m'a semblé, un soir de l'été dernier que je remontais en taxi le boulevard Delessert, qu'elle a été remplacée par une banque. Mais les perroquets vivent très vieux. Peut-être celui-ci, après plus de trente ans, dans un autre quartier de Paris et le vacarme d'un autre café, répète-t-il encore ma phrase sans que personne ne la comprenne ni ne l'écoute vraiment. Il n'y a plus que les perroquets qui restent fidèles au passé.

*

Je prolongeais le plus tard possible mon dîner à La Closerie de Passy. Vers dix heures, la patronne et ses amis s'asseyaient à une table du fond, près du bar et de la cage jaune de Pépère. Ils commençaient une partie de cartes. Un soir, elle m'avait même proposé de me joindre à eux. Mais c'était l'heure où je devais poursuivre ma recherche. FIAT COULEUR VERT D'EAU.

J'avais pensé qu'en arpentant les rues du quartier aux environs de minuit, j'aurais peut-être la chance de tomber sur cette voiture en stationnement. Jacqueline Beausergent devait bien rentrer chez elle, à cette heure-là. Il me semblait que c'était de nuit et non pas de jour que je trouverais enfin LA FIAT COULEUR VERT D'EAU.

Les rues étaient silencieuses, le froid coupant. Bien sûr, de temps en temps, je craignais qu'un car de police qui faisait sa ronde ne s'arrête à ma hauteur et que l'on ne me demande mes papiers. Ma canadienne tachée de sang et le pansement que mon mocassin fendu rendait bien visible me donnaient sans doute l'apparence d'un rôdeur. Et puis, à quelques mois près, je n'avais pas encore les vingt et un ans de la majorité. Mais, par chance, ces nuits-là, aucun panier à salade ne s'est arrêté pour me conduire au plus proche commissariat de police ou même dans les grands immeubles obscurs de la brigade des mineurs, au bord de la Seine.

Je commençais par le square de l'Alboni. Aucune Fiat vert d'eau, parmi les voitures garées là, le long de chaque trottoir. Je me disais qu'elle ne trouvait jamais une place libre en face de chez elle et qu'elle tournait longtemps dans le quartier en cherchant à se garer. Et cela pouvait l'entraîner assez loin. À moins qu'elle ne laisse sa voiture dans un garage. Près de chez elle, boulevard Delessert, un garage. Une nuit, j'y suis entré. Un homme se tenait, tout au fond, dans une sorte de bureau aux parois vitrées. Il m'a vu venir de loin. Quand j'ai poussé la porte, il s'est levé et j'ai senti qu'il était sur la défensive. J'ai regretté à cet instant-là de ne pas porter un manteau neuf. Dès que je me suis mis à parler, il s'est détendu. Une voiture m'avait renversé l'autre nuit et j'étais à peu près sûr que le conducteur habitait dans le quartier. Jusqu'à maintenant, il ne m'avait donné aucun signe de vie et j'aurais voulu prendre contact avec lui. D'ailleurs, il s'agissait d'une conductrice. Oui, square de l'Alboni. Une Fiat couleur vert d'eau. Cette femme devait être blessée au visage, et la Fiat un peu endommagée.

Il a consulté un grand registre déjà ouvert, là, sur son bureau. Il feuilletait lentement les pages, après avoir posé son index sur sa lèvre inférieure, geste que mon père faisait souvent quand il examinait de mystérieux dossiers au Corona ou au Ruc-Univers. « Vous avez bien dit une Fiat couleur vert d'eau ? » Il avait appuyé l'index au milieu d'une page pour désigner quelque chose et moi j'avais le cœur battant. Effectivement, une Fiat couleur vert d'eau, immatriculée... Il a levé la tête et m'a considéré avec la gravité d'un médecin qui donne une consultation. « C'est la voiture d'un certain Solière, m'a-t-il dit. J'ai son adresse. — Il habite square de l'Alboni ? — Non, pas du tout. » Il fronçait les sourcils comme s'il hésitait à me donner l'adresse. « Vous m'avez dit que c'était une femme. Vous êtes sûr qu'il s'agit de la même voiture ? » Alors je lui ai retracé tous les événements de la nuit, le car de police secours où ce Solière était avec nous, l'Hôtel-Dieu, la clinique Mirabeau, et de nouveau Solière, m'attendant dans le hall, à ma sortie de la clinique. Je n'ai pas voulu lui parler de ma dernière rencontre dans le café avec cet homme qui faisait semblant de ne pas me reconnaître.

« Il habite 4 avenue Albert-de-Mun, m'a-t-il dit. Mais ce n'est pas un client à nous. Il venait pour la première fois. » Je lui ai demandé où se trouvait l'avenue Albert-de-Mun. Là-bas, le long des jardins du Trocadéro. Près de l'Aquarium ? Un peu plus

111

loin. Une avenue qui descend en pente vers le quai. On avait changé le pare-brise et l'un des phares, mais quelqu'un était venu rechercher la voiture avant que la réparation soit tout à fait achevée. Solière lui-même ? Il ne pouvait pas me le dire, il était absent ce jour-là, il demanderait à son associé. Il jetait, de temps en temps, un regard sur mon mocassin fendu et mon pansement. « Vous avez quand même porté plainte ? » Il m'avait posé cette question sur un ton de reproche presque affectueux comme le pharmacien de l'autre jour. Contre qui ? La seule plainte que j'aurais dû déposer, c'était contre moi-même. Jusqu'à maintenant, j'avais vécu dans le désordre. Et cet accident allait mettre un point final à toutes ces années de confusion et d'incertitude. Il était temps. « Et il n'y a pas trace d'une Mme Solière ? lui ai-je demandé. Ou d'une Jacqueline Beausergent ? — Pas sur le registre, en tout cas. — Une blonde, avec des blessures sur le visage ? Vous ne l'auriez jamais vue passer dans le quartier ? » Il a haussé les épaules. « Vous savez, je suis toujours dans ce bureau. Sauf quand je rentre chez moi, à Vanves. Vous êtes sûr qu'elle était au volant ? » J'en étais sûr. Cette nuit-là, nous étions restés longtemps l'un à côté de l'autre, sur le canapé, dans le hall de l'hôtel, avant que le dénommé Solière marche vers nous et que nous montions dans le car de police. J'irais vérifier dans l'hôtel, place des Pyramides. Il y aurait bien un

112

témoin. Mais je n'avais pas besoin de témoins. Il suffisait que je retrouve cette femme pour mettre les choses au clair avec elle, voilà tout.

« Allez voir avenue Albert-de-Mun, m'a-t-il dit. Si jamais ils ramènent la Fiat, je vous préviens. Où puis-je vous toucher ? » Je lui ai donné l'adresse de l'hôtel Fremiet. Après tout, ce type ne me voulait pas de mal.

Il était environ minuit et j'ai marché jusqu'aux jardins du Trocadéro. Solière. Je répétais ce nom... J'avais conservé de mon père un vieux carnet d'adresses qui devait être rangé dans la boîte en carton bleu marine. Je regarderais à la lettre S.

Je suivais l'allée de l'Aquarium. Oui, l'avenue Albert-de-Mun descendait en pente douce vers la Seine et elle longeait les jardins du Trocadéro. Le numéro 4 était l'un des deux immeubles avant le quai. Il faisait l'angle d'une petite rue et le dernier étage avait une terrasse. Aucune lumière aux fenêtres. L'immeuble semblait abandonné. De temps en temps, une voiture passait sur le quai. Je me suis approché de la porte vitrée, mais je n'ai pas osé entrer. Vêtu comme je l'étais, et à cette heure tardive, le concierge ne manquerait pas d'appeler la police. Y avait-il un concierge ? Et à quel étage habitait ce Solière ? Je restais sur le trottoir, du côté des jardins, et je ne détachais pas mon regard de la façade. C'était là, à l'un de ces étages, que j'allais apprendre quelque chose d'important sur ma vie. Il

113

me semblait qu'un après-midi de mon enfance, à la sortie de l'Aquarium, j'avais suivi cette pente, le long des jardins. 4, avenue Albert-de-Mun. Quand même, je consulterais le vieux carnet de mon père pour vérifier si cette adresse y figurait à une page quelconque, précédée d'un nom, Solière ou un autre. Peut-être le village de Fossombronne-la-Forêt y était-il mentionné. Je finirais bien par savoir quel lien unissait ces deux endroits. J'avais fait sans doute de nombreux trajets entre Fossombronne-la-Forêt et Paris dans la Fiat couleur vert d'eau ou dans une voiture plus ancienne que conduisait cette Jacqueline Beausergent. Plus je considérais la façade blanche, plus j'avais la sensation de l'avoir déjà vue — une sensation fugitive comme les bribes d'un rêve qui vous échappent au réveil, ou bien un reflet de lune. Dans ma chambre de la porte d'Orléans, je n'aurais pas pu imaginer que ce quartier et cette avenue Albert-de-Mun seraient pour moi une zone magnétique. Jusque-là, je me tenais en marge, du côté des banlieues de la vie, à attendre quelque chose. Encore aujourd'hui dans mes rêves, il m'arrive de retourner vers ces quartiers et de me perdre dans tous ces grands blocs d'immeubles, à la lisière de Paris. Je cherche vainement mon ancienne chambre, celle d'avant l'accident.

J'ai marché jusqu'au coin du quai. Là non plus aucune Fiat vert d'eau. J'ai fait le tour du pâté de maisons. Peut-être était-elle absente. Et comment savoir le numéro de téléphone de Solière ? Tel qu'il m'était apparu dans le café, l'autre jour, ce n'était pas le genre d'homme à figurer dans l'annuaire.

*

Le pharmacien de la rue Raynouard avait la gentillesse de changer quelquefois mes pansements. Il désinfectait la plaie avec du mercurochrome et il m'avait conseillé de moins marcher et de choisir, pour mon pied gauche, une chaussure plus appropriée que ce mocassin fendu. À chacune de mes visites, je lui promettais de suivre ses conseils. Mais je savais bien que je ne changerais pas de chaussure avant d'avoir trouvé la Fiat couleur vert d'eau.

J'essayais de moins marcher que les jours précédents et je restais de longs après-midi dans ma chambre de l'hôtel Fremiet. Je réfléchissais au passé et au présent. J'avais noté le nom des habitants du 4 avenue Albert-de-Mun qui figuraient dans l'annuaire.

Borscher (J.) : PASSY 13 51

Cie financière et immobilière du Trocadéro : PASSY 48 00

Destombe (J.) : PASSY 03 97

Dupont (A.) : PASSY 24 35

Goodwin (Mme C.) : PASSY 41 48

Grunberg (A.) : PASSY 05 00

Mc Lachlan (G. V.) : PASSY 04 38

Pas de Solière. J'ai téléphoné à chacun de ces numéros en demandant à parler à un monsieur Solière et à une mademoiselle Jacqueline Beausergent, mais ces noms ne paraissaient rien évoquer à mes interlocuteurs. La Compagnie financière et immobilière du Trocadéro ne répondait pas. C'était peut-être cela le bon numéro.

Le carnet d'adresses de mon père était bien rangé parmi mes papiers, dans la boîte de carton bleu marine. Il l'avait oublié, un soir, sur une table de café et je l'avais glissé dans ma poche. Il n'en avait jamais parlé au cours de nos rendez-vous suivants. Apparemment, cette perte ne l'avait pas troublé du tout ou bien il n'imaginait pas que j'aie pu prendre ce carnet. Les quelques mois qui avaient précédé sa disparition dans le brouillard, du côté de Montrouge, je crois que tous ces noms ne lui servaient plus à grand-chose. Pas de Solière à la lettre S. Et aucune mention de Fossombronne-la-Forêt parmi les adresses.

Certaines nuits, je me demandais si cette recherche avait un sens, et pourquoi je m'y étais engagé. Était-ce naïveté de ma part ? Très tôt, peut-être même avant la période de l'adolescence, j'avais eu le sentiment que je n'étais issu de rien. Je me souvenais d'un prospectus qu'un type en gabardine grise et collier de barbe distribuait un après-midi de pluie au Quartier latin. Il s'agissait d'un questionnaire pour une enquête sur la jeunesse. Les questions m'avaient semblé étranges : Quelle structure familiale avez-vous connue ? J'avais répondu : aucune. Gardez-vous une image forte de votre père et de votre mère ? J'avais répondu : nébuleuse. Vous jugez-vous comme un bon fils (ou fille) ? Je n'ai jamais été un fils. Dans les études que vous avez entreprises, cherchez-vous à conserver l'estime de vos parents et à vous conformer à votre milieu social ? Pas d'études. Pas de parents. Pas de milieu social. Préférez-vous faire la révolution ou contempler un beau paysage ? Contempler un beau paysage. Que préférez-vous ? La profondeur du tourment ou la légèreté du bonheur ? La légèreté du bonheur. Voulez-vous changer la vie ou bien retrouver une harmonie perdue ? Retrouver une harmonie perdue. Ces deux mots me faisaient rêver, mais en quoi pouvait bien consister une harmonie perdue ? Dans cette chambre de l'hôtel Fremiet, je me demandais si je ne cherchais pas à découvrir, malgré le néant de mes origines et le désordre de mon enfance, un point fixe, quelque chose de rassurant, un paysage, justement, qui m'aiderait à reprendre pied. Il y avait peut-être toute une partie de ma vie que je ne connaissais pas, un fond solide sous les sables mouvants. Et je comptais sur la Fiat couleur vert d'eau et sa conductrice pour me le faire découvrir.

*

J'avais du mal à trouver le sommeil. J'ai eu la tentation de demander au pharmacien l'un de ces flacons d'éther bleu nuit que je connaissais si bien. Mais je me suis retenu à temps. Ce n'était pas le moment de flancher. Il fallait garder toute ma lucidité. Au cours de ces nuits blanches, ce que je regrettais le plus, c'était d'avoir laissé tous mes livres dans ma chambre de la rue de la Voie-Verte. Pas beaucoup de librairies dans le quartier. J'avais marché vers l'Étoile pour en découvrir une. J'y avais acheté quelques romans policiers et un vieux volume d'occasion dont le titre m'intriguait : *Les Merveilles célestes*. À ma grande surprise, je ne parvenais plus à lire les romans policiers. Mais à peine avais-je ouvert *Les Merveilles célestes* qui portait sur la page de garde cette indication : « Lectures du soir », que je devinais combien cet ouvrage allait compter pour moi. Nébuleuses. La Voie lactée. Le monde sidéral. Les constellations du Nord. Le zodiaque, les univers lointains… À mesure que j'avançais dans les chapitres, je ne savais même plus pourquoi j'étais allongé sur ce lit, dans cette chambre d'hôtel. J'avais oublié où j'étais, dans quel pays, dans quelle ville, et cela n'avait plus d'importance. Aucune drogue, ni l'éther, ni la morphine, ni l'opium ne m'aurait procuré cet apaisement qui m'envahissait peu à peu. Il suffisait de tourner les pages. On aurait dû, depuis longtemps, me conseiller ces « lectures du soir ». Cela m'aurait évité bien des tourments inutiles et des nuits agitées. La Voie lactée. Le monde sidéral. Enfin, l'horizon pour moi s'élargissait jusqu'à l'infini, et il y avait une extrême douceur à voir de loin ou à deviner toutes ces étoiles variables, temporaires, éteintes ou disparues. Je n'étais rien dans cet infini, mais je pouvais enfin respirer.

Était-ce l'influence de cette lecture ? La nuit quand je me promenais dans le quartier, je continuais à éprouver un sentiment de plénitude. Plus aucune anxiété. Je m'étais débarrassé d'une carapace qui m'étouffait. Plus de douleur à la jambe. Le pansement s'était défait et pendait par-dessus ma chaussure. La plaie se cicatrisait. Le quartier prenait un autre aspect que celui qui était le sien, au début de mon séjour. Pendant quelques nuits, le ciel était si limpide que je n'avais jamais vu briller un aussi grand nombre d'étoiles. Ou alors, jusqu'à présent, je n'y prêtais aucune attention. Mais, depuis, j'avais lu *Les Merveilles célestes*. Mes pas me ramenaient souvent sur l'esplanade du Trocadéro. Là, au moins, on respirait l'air du large. Cette zone me semblait maintenant traversée de grandes avenues que l'on rejoignait depuis la Seine par des jardins, des escaliers successifs et des passages qui ressemblaient à des chemins de campagne. La lumière des lampadaires était de plus en plus éblouissante. J'étais surpris qu'il n'y ait pas de voitures garées le long des trottoirs. Oui, toutes ces avenues étaient désertes, et il me serait facile de repérer de très loin la Fiat couleur vert d'eau. Peut-être depuis quelques nuits était-il interdit aux automobilistes de stationner dans les parages. On avait décidé que le quartier serait désormais ce qu'on appelait « zone bleue ». Et moi, j'étais le seul piéton. Avait-on instauré un couvre-feu qui interdisait aux gens de sortir après onze heures du soir ? Mais cela m'était indifférent comme si j'avais dans la poche de ma canadienne un laissez-passer qui me mettait à l'abri des contrôles de police. Une nuit, un chien m'avait suivi depuis l'Alma jusqu'à l'esplanade du Trocadéro. Il était de la même couleur noire et de la même race que celui qui s'était fait écraser du temps de mon enfance. Je remontais l'avenue sur le trottoir de droite. D'abord, le chien se tenait à une dizaine de mètres derrière moi et il s'était rapproché peu à peu. À la hauteur des grilles des jardins Galliera, nous marchions côte à côte. Je ne sais plus où j'avais lu — peut-être était-ce une note au bas d'une page des *Merveilles célestes* — que l'on peut glisser à certaines heures de la nuit dans un monde parallèle : un appartement vide où l'on n'a pas éteint la lumière, et même une petite rue en impasse. On y retrouve des objets égarés depuis longtemps : un porte-bonheur, une lettre, un parapluie, une clé, et les chats, les chiens ou les chevaux que vous avez perdus au fil de votre vie. J'ai pensé que ce chien était celui de la rue du Docteur-Kurzenne.

Il portait un collier de cuir rouge avec une médaille et, en me penchant, j'ai vu, gravé sur celle-ci, un numéro de téléphone. À cause de cela, on hésiterait à l'emmener à la fourrière. Et moi, dans la poche intérieure de ma canadienne, je gardais toujours mon vieux passeport périmé sur lequel j'avais trafiqué ma date de naissance, pour me vieillir et avoir les vingt et un ans de la majorité. Mais, depuis quelques nuits, je ne craignais plus les contrôles de police. La lecture des *Merveilles célestes* m'avait vraiment remonté le moral. Désormais, je considérais les choses de très haut.

Le chien me précédait. Au début, il avait tourné la tête pour vérifier si je le suivais bien et, maintenant, il marchait d'un pas régulier. Il était sûr de ma présence. Je marchais au même rythme que lui, lentement. Rien ne troublait le silence. Il me semblait que l'herbe poussait entre les pavés. Le temps n'existait plus. C'était cela sans doute que Bouvière appelait l'« éternel retour ». Les façades des immeubles, les arbres, le scintillement des lampadaires prenaient une profondeur que je ne leur avais jamais connue.

Le chien a hésité un instant quand je me suis engagé sur l'esplanade du Trocadéro. On aurait dit qu'il voulait continuer tout droit. Puis il a fini par me suivre. Je suis resté un assez long moment à contempler les jardins en contrebas, le grand bassin dont l'eau me semblait phosphorescente et, au-delà de la Seine, les immeubles le long des quais et autour du Champ-de-Mars. J'ai pensé à mon père. Je l'ai imaginé, là-bas, quelque part dans une chambre, ou même dans un café, juste avant la fermeture, assis seul sous les néons, en train de consulter ses dossiers. Peut-être avais-je encore une chance de le retrouver. Après tout, le temps était aboli, puisque ce chien venait du fond du passé, depuis la rue du Docteur-Kurzenne. Je l'ai vu s'éloigner de moi, comme s'il ne pouvait rester plus longtemps en ma compagnie et qu'il allait manquer un rendez-vous. Alors, je lui ai emboîté le pas. Il marchait le long de la façade du musée de l'Homme et il s'est engagé dans la rue Vineuse. Je n'avais jamais emprunté cette rue. Si ce chien m'y entraînait, ce n'était pas un hasard. J'ai eu la sensation d'être arrivé au but et de revenir en terrain connu. Pourtant, les fenêtres étaient obscures et j'avançais dans une demi-pénombre. Je m'étais rapproché du chien par crainte de le perdre de vue. Le silence autour de nous. J'entendais le bruit de mes pas. La rue tournait presque à angle droit et je me suis dit qu'elle devait rejoindre La Closerie de Passy où, à cette heure-là, le perroquet dans sa cage jaune répétait : « Fiat couleur vert d'eau, Fiat couleur vert d'eau », pour rien, pendant que la patronne et ses amis jouaient aux cartes. Après l'angle que faisait la rue, une enseigne éteinte. Un restaurant, ou plutôt un bar, fermé. Nous étions dimanche.

Quel drôle d'emplacement pour un bar dont la devanture de bois clair et l'enseigne auraient mieux trouvé leur place aux Champs-Élysées ou à Pigalle…

Je m'étais arrêté un moment et j'essayais de déchiffrer ce qui était écrit sur l'enseigne, au-dessus de la porte d'entrée : Vol de Nuit. Puis j'ai cherché du regard le chien, devant moi. Je ne le voyais plus. J'ai pressé le pas pour le rattraper. Mais non, il n'y avait pas trace de lui. J'ai couru et j'ai débouché au carrefour du boulevard Delessert. Les lampadaires brillaient d'une clarté qui m'a fait cligner les yeux. Pas de chien à l'horizon, ni sur le trottoir en pente du boulevard, ni de l'autre côté, ni en face de moi vers la petite gare du métro et les escaliers qui descendent jusqu'à la Seine. La lumière était blanche, une lumière de nuit boréale, et j'aurais vu ce chien noir de loin. Mais il avait disparu. J'ai éprouvé une sensation de vide qui m'était familière et que j'avais oubliée depuis quelques jours grâce à la lecture apaisante des *Merveilles célestes*. Je regrettais de n'avoir pas retenu le numéro de téléphone qu'il portait à son collier.

*

J'ai mal dormi, cette nuit-là. Je rêvais à ce chien surgi du passé pour disparaître à nouveau. Au matin, j'avais bon moral et la certitude que ni lui ni moi ne risquions plus rien. Aucune voiture ne pourrait plus jamais nous écraser.

À peine sept heures. L'un des cafés du quai était ouvert, celui où j'avais rencontré Solière. Cette fois-ci, j'avais enfoncé dans la poche de ma canadienne le vieux carnet d'adresses de mon père. Je gardais toujours quelque chose dans mes poches : le volume des *Merveilles célestes* ou la carte Michelin du Loir-et-Cher.

Je me suis assis à une table, proche de la baie vitrée. Là-bas, de l'autre côté du pont, les rames de métro disparaissaient les unes après les autres. J'ai feuilleté le carnet. Je lisais les noms aux encres de couleur différente — bleue, noire, violette. Les noms en violet semblaient les plus anciens et ils étaient d'une écriture plus appliquée. Quelques-uns d'entre eux avaient été rayés. À ma grande surprise, je remarquais un nombre assez important de noms avec, pour adresses, les rues du quartier où je me trouvais maintenant. J'ai conservé ce carnet et je recopie :

Yvan Schaposchnikoff, 1, avenue Paul-Doumer KLÉBER 73 46

Guy de Voisins, 23, rue Raynouard JASMIN 33 18

Nick de Morgoli, 14, square de l'Alboni TROCADÉRO 65 81

Toddie Werner, 28, rue Scheffer PASSY 90 90

Mary Tchernycheff, 30, quai de Passy JASMIN 64 76

.

Encore une fois, 30, quai de Passy : Alexis Mouta-folo AUTEUIL 70 66…

L'après-midi, je suis allé à certaines de ces adresses par curiosité. Toujours les mêmes façades claires, avec des baies vitrées et de grandes terrasses, comme au 4 de l'avenue Albert-de-Mun. Je suppose que l'on disait de ces immeubles qu'ils avaient le « confort moderne » et certaines particularités : chauffage au sol, pas de parquet mais des dallages en marbre, portes coulissantes, et l'impression d'être à bord d'un paquebot immobile en pleine mer. Et le néant derrière ce luxe trop visible. Je savais que mon père, depuis sa jeunesse, avait habité souvent des immeubles de ce genre et qu'il ne payait pas le loyer. L'hiver, dans les pièces vides, l'électricité était coupée. Il était l'un de ces passagers qui changeaient à une cadence rapide, sans jamais se fixer nulle part, ni laisser de trace derrière eux. Oui, des gens dont on aurait du mal, plus tard, à prouver l'existence. Inutile d'accumuler des détails précis : numéros de téléphone, lettres de l'alphabet des différents escaliers dans les cours. Voilà pourquoi l'autre nuit, avenue Albert-de-Mun, j'avais ressenti un léger découragement. Si je franchissais la porte cochère, je ne déboucherais sur rien. C'était cela qui m'avait retenu, plutôt que la crainte d'être interpellé comme un rôdeur. Je poursuivais une recherche à travers des rues où tout était en trompe l'œil. Mon entreprise m'avait paru aussi vaine que celle d'un géomètre qui aurait voulu établir un cadastre sur du vide. Mais je m'étais dit : Est-ce vraiment au-dessus de tes forces de retrouver une certaine Jacqueline Beausergent ?

Je me souviens que cette nuit-là j'avais interrompu la lecture des *Merveilles célestes* au milieu du chapitre traitant des constellations du Sud. J'étais sorti de l'hôtel sans donner la clé de ma chambre au bureau de la réception où il n'y avait personne. Je voulais acheter un paquet de cigarettes. Le seul tabac encore ouvert se trouvait sur la place du Trocadéro.

Du quai, j'ai monté les escaliers et, après avoir dépassé la petite gare, j'ai cru entendre le perroquet de La Closerie qui répétait de sa voix étranglée : « Fiat couleur vert d'eau, Fiat couleur vert d'eau. » Il y avait encore de la lumière derrière la vitre. Ils poursuivaient leur partie de cartes. J'ai été surpris que l'air soit si tiède pour une nuit d'hiver. Les jours précédents, la neige était tombée et il en restait encore des plaques dans les jardins en contrebas, avant le musée de l'Homme.

Pendant que j'achetais les cigarettes au grand café, un groupe de touristes s'est assis aux tables de la terrasse. J'entendais leurs éclats de rire. J'étais étonné qu'on ait disposé ces tables dehors et, pendant un instant, j'ai éprouvé une sorte de vertige. Je me suis demandé si je ne confondais pas les saisons. Mais non, les arbres sur la place avaient bien perdu leurs feuilles et l'on devrait attendre encore longtemps pour que revienne l'été. J'avais marché depuis des mois et des mois dans un tel froid et un tel brouillard que je ne savais plus si le voile se déchirerait un jour. Était-ce vraiment trop exiger de la vie que de vouloir prendre un bain de soleil, en buvant une orangeade avec une paille ?

Je suis resté quelque temps à respirer l'air du large sur l'esplanade. Je pensais au chien noir de l'autre nuit, celui qui était venu me rejoindre de si loin, à travers toutes ces années... Quelle bêtise de n'avoir pas retenu son numéro de téléphone...

J'ai pris la rue Vineuse, comme l'autre nuit. Elle était toujours dans la pénombre. Peut-être y avait-il une panne d'électricité. Je voyais briller l'enseigne du bar ou du restaurant, mais d'une clarté si faible qu'on discernait à peine la masse sombre d'une voiture, garée juste avant le tournant de la rue. Quand j'y suis arrivé, j'ai eu un coup au cœur. J'ai reconnu la Fiat couleur vert d'eau. Ce n'était pas vraiment une surprise, je n'avais jamais désespéré de la trouver. Il fallait être patient, voilà tout, et je me sentais de grandes réserves de patience. Qu'il pleuve ou qu'il neige, j'étais prêt à attendre des heures dans la rue.

Le pare-chocs et l'une des ailes étaient endommagés. À Paris, il y avait sans doute beaucoup de Fiat couleur vert d'eau, mais celle-ci portait bien les traces de l'accident. J'ai sorti de la poche de ma canadienne mon passeport dans lequel était pliée la feuille que m'avait fait signer Solière. Oui, c'était le même numéro d'immatriculation.

J'ai regardé à l'intérieur. Un sac de voyage sur la banquette arrière. Je pouvais laisser un mot entre le pare-brise et l'essuie-glace, où j'aurais indiqué mon nom et l'adresse de l'hôtel Fremiet. Mais j'ai voulu tout de suite en avoir le cœur net. La voiture était garée juste devant le restaurant. Alors, j'ai poussé la porte de bois clair et je suis entré.

La lumière tombait d'une applique derrière le bar et elle laissait dans la pénombre les quelques tables disposées de chaque côté, le long des murs. Et pourtant, je vois bien ces murs dans mon souvenir, ils sont tendus d'un velours rouge très usé et même déchiré par endroits, comme si ce lieu avait connu une époque de faste il y a longtemps, mais que personne n'y venait plus. Sauf moi. Sur le moment, j'ai cru que j'étais entré bien après l'heure de la fermeture. Une femme était assise au bar et elle portait un manteau brun foncé. Un jeune homme, à taille et tête de jockey, débarrassait les tables. Il m'a dévisagé :

« Vous désirez ? »

C'était trop long à expliquer. J'ai marché vers le bar et, au lieu de prendre place sur l'un des tabourets, je me suis arrêté derrière elle. J'ai posé la main sur son épaule. Elle s'est retournée, dans un sursaut. Elle me fixait d'un regard étonné. Une grande éraflure lui barrait le front, juste au-dessus des sourcils.

« Vous êtes Jacqueline Beausergent ? »

J'étais surpris de la voix détachée avec laquelle j'avais posé cette question, j'avais même l'impression qu'un autre s'en était chargé pour moi. Elle me dévisageait en silence. Elle a baissé son regard. Il s'attardait sur la tache de ma canadienne, puis, plus bas, sur ma chaussure d'où dépassait le pansement.

« Nous nous sommes déjà rencontrés place des Pyramides... »

Ma voix me semblait encore plus nette et plus détachée. Je me tenais debout derrière elle.

« Oui... oui... je m'en souviens très bien... place des Pyramides... »

Et sans me quitter des yeux, elle me souriait d'un sourire un peu ironique, le même — me semblait-il — que l'autre nuit, dans le panier à salade.

« Nous pourrions nous asseoir... »

Elle me désignait la table la plus proche du bar qui était encore recouverte d'une nappe blanche. Nous nous sommes assis l'un en face de l'autre. Elle avait posé son verre sur la nappe. Je me demandais quel alcool il pouvait contenir.

« Vous devriez boire quelque chose, m'a-t-elle dit. Un remontant... Vous êtes très pâle... »

130

Elle avait prononcé cette phrase avec un grand sérieux et même une sorte de gravité affectueuse que personne ne m'avait témoignée jusqu'à présent. J'en étais gêné.

« Prenez comme moi un Margarita... »

Le jockey m'a apporté un Margarita, puis il a disparu par une porte vitrée, derrière le bar.

« Je ne savais pas que vous étiez sorti de clinique, m'a-t-elle dit. J'ai été absente de Paris pendant plusieurs semaines... Je comptais prendre de vos nouvelles... »

Il me semble, après ces dizaines et ces dizaines d'années écoulées, qu'il faisait d'abord très sombre dans cet endroit où nous nous trouvions assis face à face. Nous étions dans l'obscurité comme dans le cabinet d'un oculiste qui vous met au fur et à mesure devant les yeux des verres à l'intensité différente pour que vous puissiez enfin déchiffrer les lettres, là-bas, sur le tableau lumineux.

« Vous auriez dû rester plus longtemps à la clinique... vous vous êtes échappé ? »

Elle souriait de nouveau. Plus longtemps ? Je ne comprenais pas. Les lettres étaient encore bien brouillées sur l'écran.

« On m'a dit de partir, lui ai-je dit. Un monsieur Solière est venu me chercher. »

Elle a paru étonnée. Elle a haussé les épaules.

« Il ne m'en a pas parlé... je crois qu'il avait peur de vous. »

131

Peur de moi ? Je n'aurais jamais imaginé faire peur à quelqu'un.

« Vous lui sembliez plutôt étrange... Il n'a pas l'habitude de gens comme vous... »

Elle avait l'air embarrassée. Je n'osais pas lui demander en quoi consistait exactement mon étrangeté aux yeux de ce Solière.

« Je suis venue vous voir deux ou trois fois à la clinique... Malheureusement, c'était toujours à des moments où vous dormiez... »

On ne m'avait pas averti de ces visites. Brusquement, un doute m'a traversé.

« Je suis resté longtemps dans cette clinique ?

— Une dizaine de jours. C'est M. Solière qui a eu l'idée de vous faire transporter là-bas. Ils n'auraient pas pu vous garder à l'Hôtel-Dieu, dans l'état où vous étiez.

— À ce point-là ?

— Ils pensaient que vous aviez pris des substances toxiques. »

Elle avait prononcé ces deux derniers mots avec beaucoup d'application. Je crois que je n'avais jamais entendu quelqu'un me parler de manière aussi calme, avec un timbre de voix aussi doux. L'écouter avait le même effet apaisant que la lecture des *Merveilles célestes*. Je ne détachais pas mon regard de la grande éraflure qui lui traversait le front, juste au-dessus des sourcils. Ses yeux clairs, ses cheveux châtains lui tombant jusqu'aux épaules, le col de son manteau relevé… À cause de l'heure tardive et de cette pénombre autour de nous, je la retrouvais telle qu'elle était dans le car de police, l'autre nuit.

Elle a passé son index sur l'éraflure au-dessus des sourcils et, de nouveau, elle avait son sourire ironique.

« Pour une première rencontre, m'a-t-elle dit, c'était un peu brutal. »

Elle me fixait droit dans les yeux, en silence, comme si elle voulait deviner mes pensées — et cette attention, je ne l'avais jamais rencontrée chez personne.

« J'ai eu l'impression que vous aviez fait exprès de traverser au mauvais moment, place des Pyramides… »

Ce n'était pas mon opinion. J'avais toujours résisté au vertige. Je n'aurais jamais pu me lancer dans le vide du haut d'un pont ou d'une fenêtre. Ou même sous une voiture comme elle semblait le croire. Pour moi, au dernier moment, la vie était toujours la plus forte.

« Je ne crois pas que vous étiez dans votre état normal… »

Elle jetait de nouveau un regard sur ma canadienne et le mocassin déchiré, à mon pied gauche. J'avais refait le pansement de mon mieux, et pourtant mon aspect ne devait pas être très engageant. Je me suis excusé de me présenter comme cela. Oui, j'avais hâte de reprendre forme humaine.

Elle m'a dit, à voix basse :

« Il faudrait simplement que vous changiez de canadienne. Et peut-être aussi de chaussures. »

J'étais de plus en plus en confiance. Je lui ai avoué que ces dernières semaines j'avais essayé de la retrouver. Ce n'était pas facile avec le nom d'une rue mais sans le numéro. Alors, j'avais cherché tout autour dans le quartier sa Fiat couleur vert d'eau.

« Vert d'eau ? »

Elle paraissait intriguée par cet adjectif, mais il figurait en toutes lettres sur le procès-verbal que m'avait fait signer Solière. Un procès-verbal ? Elle n'était pas au courant. Je le gardais toujours dans la poche intérieure de ma canadienne et je le lui ai montré. Elle l'a lu en fronçant les sourcils.

« Ça ne m'étonne pas… Il a toujours été méfiant…

— Il m'a donné aussi une certaine somme d'argent…

— C'est un homme généreux », m'a-t-elle dit.

J'aurais voulu savoir quel était le lien exact entre elle et ce Solière.

« Vous habitez square de l'Alboni ?

— Non. C'est l'adresse d'un des bureaux de M. Solière. »

Chaque fois, elle prononçait ce nom avec un certain respect.

« Et l'avenue Albert-de-Mun ? »

À ma grande honte, j'avais l'air d'un flic qui

lance, pour déconcerter un suspect, une question à laquelle il ne s'attendait pas.

« C'est l'un des appartements de M. Solière. »

Elle ne s'était pas démontée du tout.

« Comment connaissez-vous cette adresse ? »

Je lui ai dit que j'avais rencontré ce Solière, l'autre jour, dans un café et qu'il avait fait semblant de ne pas me reconnaître.

« Il est très méfiant, vous savez... Il croit toujours que les gens lui en veulent... Il a beaucoup d'avocats...

— C'est votre patron ? »

J'ai regretté aussitôt cette question.

« Je travaille pour lui depuis deux ans. »

Elle m'avait répondu d'une voix calme, comme s'il s'agissait de quelque chose de banal. Et ça l'était, sûrement. Pourquoi chercher du mystère là où il n'y en a aucun ?

« L'autre nuit, j'avais justement rendez-vous avec M. Solière place des Pyramides, dans le hall de l'hôtel Régina... Et puis, au moment où j'arrivais, il y a eu notre... accident... »

Elle avait hésité sur le mot. Elle regardait ma main gauche. Quand la voiture m'avait renversé, je m'étais écorché au dos de cette main. Mais la blessure était presque cicatrisée. Je n'y avais jamais mis de pansement.

« Alors si je comprends bien, M. Solière est arrivé au bon moment ? »

135

Il marchait vers nous, cette nuit-là, d'un pas lent, dans son manteau de couleur sombre. Je me demandais même s'il n'avait pas une cigarette au coin des lèvres. Et cette fille avait rendez-vous avec lui dans le hall de l'hôtel… Moi aussi, j'avais eu des rendez-vous avec mon père dans ces halls d'hôtel qui se ressemblent tous et où le marbre, les lustres, les boiseries et les canapés sont en toc. On s'y trouve dans la même situation précaire que dans la salle d'attente d'une gare entre deux trains ou dans un commissariat de police avant l'interrogatoire.

« Il paraît que ce n'est pas un enfant de chœur, lui ai-je dit.

— Qui ?

— Solière. »

Pour la première fois, elle semblait vraiment gênée.

« Qu'est-ce qu'il fait comme métier ?

— Des affaires. »

Elle avait baissé la tête comme si je risquais d'être choqué par cette réponse.

« Et vous êtes sa secrétaire ?

— Si vous voulez… mais plutôt à mi-temps… »

Là, sous la lumière de l'applique, elle me semblait plus jeune que dans le car de police. C'était sans doute le manteau de fourrure qui la vieillissait l'autre nuit. Et, de toute manière, après le choc, je n'avais pas tous mes esprits. J'avais cru cette nuit-là qu'elle était blonde.

« Et ce n'est pas un travail trop compliqué ? »

Je voulais vraiment tout savoir. Le temps pressait. À cette heure-là, ils allaient peut-être fermer le restaurant.

« Quand je suis arrivée à Paris, j'ai fait des études d'infirmière », m'a-t-elle dit, et elle parlait de plus en plus vite comme si elle avait hâte de me donner des explications. « Et puis, j'ai travaillé... infirmière à domicile... J'ai rencontré M. Solière... »

Je n'écoutais plus. Je lui ai demandé son âge. Vingt-six ans. Elle avait donc quelques années de plus que moi. Mais il était improbable qu'elle soit la même femme que celle de Fossombronne-la-Forêt. J'essayais de me souvenir du visage de cette femme ou de cette jeune fille quand elle était montée dans la camionnette et qu'elle m'avait pris la main.

« Dans mon enfance, j'ai eu un accident qui ressemblait à celui de l'autre nuit. À la sortie d'une école... »

Et, à mesure que je lui racontais cela, je parlais moi aussi de plus en plus vite, les mots se bousculaient, nous étions deux personnes que l'on a mises en présence pour quelques minutes dans le parloir d'une prison et qui n'auront pas le temps de tout se dire.

« J'ai pensé que la fille de la camionnette, c'était vous... »

Elle a éclaté de rire.

« Mais ce n'est pas possible… À l'époque, j'avais douze ans… »

Un épisode de ma vie, le visage de quelqu'un qui m'avait sans doute aimé, une maison, tout cela basculait pour toujours dans l'oubli et l'inconnu.

« Un endroit qui s'appelait Fossombronne-la-Forêt… un docteur Divoire… »

Je crois que je l'avais dit à voix basse, pour moi-même.

« Je connais ce nom, m'a-t-elle dit. C'est en Sologne. Je suis née dans la région. »

J'ai sorti de la poche de ma canadienne la carte Michelin du Loir-et-Cher que je gardais depuis plusieurs jours. Je l'ai dépliée sur la nappe. Elle paraissait inquiète.

« Vous êtes née où ? lui ai-je demandé.

— À La Versanne. »

Je me suis penché sur la carte. La lumière de l'applique n'était pas assez forte pour que je puisse déchiffrer tous ces noms de villages en si petits caractères.

Elle a penché la tête, elle aussi. Nos fronts se touchaient presque.

« Essayez de trouver Blois, m'a-t-elle dit. Légèrement sur la droite, vous avez Chambord. Plus bas, c'est la forêt de Boulogne. Et Bracieux… et, à droite, La Versanne… »

Il était facile de s'orienter, grâce à la tache verte de la forêt. Voilà, j'avais trouvé La Versanne.

138

« Vous croyez que c'est loin de Fossombronne ?

— À une vingtaine de kilomètres... »

La première fois que je l'avais découvert sur la carte, j'aurais dû souligner à l'encre rouge le nom de Fossombronne-la-Forêt. Maintenant, je l'avais perdu.

« C'est sur la route de Milançay... », m'a-t-elle dit.

Je cherchais la route de Milançay. Je parvenais enfin à lire tous les noms des villages : Fontaines-en-Sologne, Montgiron, Marcheval...

« Si vous y tenez, un de ces jours, je pourrais vous faire visiter la région », m'a-t-elle dit en me fixant d'un regard perplexe.

Je me suis de nouveau penché sur la carte.

« Il faudrait quand même repérer le chemin qui va de La Versanne à Fossombronne. »

Et je m'enfonçais de nouveau le long des routes départementales, je traversais au hasard des villages : Le Plessis, Tréfontaine, Boizardiaire, La Viorne... Au bout d'une petite route sinueuse, j'ai lu : FOSSOMBRONNE-LA-FORÊT.

« Et si on y allait cette nuit ? »

Elle a réfléchi un instant, comme si ma proposition lui semblait naturelle.

« Pas cette nuit. Je suis trop fatiguée... »

Je lui ai dit que je plaisantais, mais je n'en étais pas sûr. Je ne pouvais détacher les yeux de tous ces noms de hameaux, de forêts et d'étangs. J'aurais voulu me fondre dans le paysage. Déjà, à cette époque, j'avais le sentiment qu'un homme sans paysage est bien démuni. Une sorte d'infirme. Je m'en étais aperçu très jeune, quand mon chien était mort et que je ne savais pas où l'enterrer. Aucune prairie. Aucun village. Pas de terroir. Pas même un jardin. J'ai replié la carte et je l'ai enfoncée dans ma poche.

« Vous habitez avec Solière ?

— Pas du tout. Simplement, je m'occupe de ses bureaux et de son appartement quand il est absent de Paris. Il voyage beaucoup pour ses affaires... »

C'était drôle, mon père lui aussi voyageait beaucoup pour ses affaires et, malgré tous les rendez-vous qu'il m'avait donnés dans des halls d'hôtel et des cafés de plus en plus lointains, je n'avais pas compris de quelles affaires il s'agissait. Les mêmes que Solière ?

« Vous venez souvent ici ? lui ai-je demandé.

— Non... Pas souvent... C'est le seul endroit qui reste ouvert très tard dans le quartier... »

Je lui ai fait remarquer qu'il n'y avait pas beaucoup de clients, mais, d'après elle, ils venaient bien plus tard dans la nuit. De drôles de clients, m'a-t-elle dit. Pourtant, dans mon souvenir, ce lieu me semble abandonné. J'ai même le sentiment qu'elle et moi, cette nuit-là, nous nous y étions introduits par effraction. Nous sommes là, l'un en face de l'autre, et j'entends l'une de ces musiques étouffées d'après le couvre-feu, sur lesquelles on danse et l'on vit quelques instants de bonheur en fraude.

140

« Vous ne croyez pas qu'après la brutalité de notre première rencontre nous devrions faire plus ample connaissance ? »

Elle avait prononcé cette phrase d'une voix très douce, mais avec une diction ferme et précise. J'avais lu que c'était en Touraine que l'on parlait le français le plus pur. Mais, à l'entendre, je me demandais si ce n'était pas plutôt en Sologne, du côté de La Versanne et de Fossombronne-la-Forêt. Elle avait posé sa main sur la mienne, ma main gauche dont la blessure achevait de se cicatriser, sans que j'aie eu besoin d'y mettre un pansement.

*

Dans la rue, un voile s'était déchiré. La carrosserie de la voiture brillait sous la lune. Je me suis demandé si ce n'était pas un mirage ou l'effet de l'alcool que j'avais bu. J'ai tapoté la carrosserie, à hauteur du capot, pour vérifier que je ne rêvais pas.

« Un jour, il faudra que je fasse réparer tout ça », m'a-t-elle dit en me désignant le pare-chocs et l'aile endommagés.

Je lui ai avoué que c'était dans un garage que l'on m'avait mis sur la trace de sa voiture.

« Vous vous êtes donné beaucoup de mal pour rien, m'a-t-elle dit. Depuis trois semaines, elle était garée devant chez moi… J'habite 2 square Léon-Guillot dans le quinzième arrondissement… »

Ainsi, nous n'habitions pas très loin l'un de l'autre. Porte d'Orléans. Porte de Vanves. Avec un peu de chance, nous aurions pu nous rencontrer là-bas, dans cet arrière-pays. Cela aurait simplifié les choses. Nous étions tous les deux du même monde.

Je me suis assis sur le capot.

« Et maintenant, si vous rentrez dans le quinzième, ce serait gentil de me ramener chez moi... »

Mais non. Elle m'a dit que cette nuit, elle devait dormir dans l'appartement de Solière, avenue Albert-de-Mun, et y demeurer quelque temps pour que cet appartement ne reste pas inhabité en son absence. Lui, Solière, il était parti en voyage d'affaires à Genève et à Madrid.

« Si je comprends bien, vous avez un travail de gardienne et de veilleur de nuit ?

— Si vous voulez. »

Elle a ouvert la portière de droite pour que j'entre dans la voiture. Après tous ces jours et toutes ces nuits passés à errer dans le quartier, cela me semblait naturel. J'étais même persuadé que j'avais déjà vécu cet instant en rêve.

Il faisait très froid brusquement, un froid sec qui donnait un éclat et une limpidité à tout ce qui était autour de nous : la lumière blanche des lampadaires, les feux rouges, les façades neuves des immeubles. Dans le silence, je croyais entendre le pas régulier de quelqu'un qui se rapprochait de nous.

Elle m'a serré le poignet, comme l'autre nuit, dans le car de police.

« Vous vous sentez mieux ? » m'a-t-elle dit.

La place du Trocadéro était beaucoup plus étendue et déserte que d'habitude à cause du clair de lune. Nous n'en finissions pas de la traverser et cette lenteur me procurait une sensation de bien-être. J'étais sûr que si je regardais les fenêtres noires je percerais l'obscurité des appartements, comme si je pouvais capter les infrarouges et les ultraviolets. Mais je n'avais pas besoin de me donner cette peine. Il suffisait de se laisser glisser sur la pente que j'avais remontée l'autre nuit avec le chien.

« Moi aussi, m'a-t-elle dit, j'ai essayé de vous retrouver, mais à la clinique ils n'avaient pas votre adresse... Paris est grand... Il faut faire attention... Des gens comme nous finissent par se perdre... »

Après le palais de Chaillot, elle a tourné à droite et nous avons longé des bâtiments massifs dont on aurait dit qu'ils étaient à l'abandon. Je ne savais plus dans quelle ville je me trouvais, une ville que ses habitants venaient de déserter, mais cela n'avait aucune importance. Je n'étais plus seul au monde. La pente était plus abrupte et descendait jusqu'à la Seine. J'ai reconnu l'avenue Albert-de-Mun, le jardin autour de l'Aquarium et la façade blanche de l'immeuble. Elle s'est garée devant la porte cochère.

« Vous devriez venir voir l'appartement... C'est

au dernier étage… Il y a une grande terrasse et une vue sur tout Paris.

— Et si Solière revient à l'improviste ? »

Chaque fois que je prononçais le nom de ce fantôme, j'avais envie de rire. Je ne gardais que le souvenir d'un homme en manteau sombre dans le panier à salade, puis dans le hall de la clinique et dans le café du quai. Valait-il la peine d'en savoir plus ? J'avais l'intuition qu'il était de la même espèce que mon père et que tous ceux que je remarquais autrefois dans son entourage. On ne peut rien savoir de ces gens-là. Il faudrait consulter les rapports de police que l'on a dressés à leur sujet, mais ces rapports écrits pourtant dans une langue si précise et si claire se contredisent les uns les autres. À quoi bon ? Depuis quelque temps, il se bousculait tant de choses dans ma pauvre tête, et cet accident avait été un tel événement pour moi…

« Ne craignez rien. Il ne risque pas de revenir dans l'immédiat. Et même s'il revenait, ce n'est pas un méchant homme, vous savez… »

Elle a de nouveau éclaté de rire.

« Il habite depuis longtemps ici ?

— Je ne pourrais pas vous répondre avec exactitude. »

Elle avait l'air de se moquer gentiment de moi. Je lui ai fait remarquer qu'il n'était pas dans l'annuaire, à l'adresse de l'avenue Albert-de-Mun.

« C'est fou, m'a-t-elle dit, comme vous vous donnez du mal pour trouver des certitudes... D'abord, il ne s'appelle pas vraiment Solière. C'est le nom qu'il utilise dans la vie courante...

— Et vous connaissez son vrai nom ?

— Morawski. »

Ce nom avait une consonance familière sans que je puisse très bien savoir pourquoi. Il figurait peut-être dans le carnet d'adresses de mon père.

« Et même sous le nom de Morawski, vous ne trouverez rien dans l'annuaire. Vous croyez que cela a vraiment de l'importance ? »

Elle avait raison. Je n'avais plus tellement envie de regarder dans l'annuaire.

*

Je me souviens que nous avons fait quelques pas dans les allées du jardin, autour de l'Aquarium. J'avais besoin de respirer à l'air libre. D'ordinaire, je vivais dans une sorte d'asphyxie contrôlée — ou plutôt je m'étais habitué à respirer à petits coups, comme s'il fallait économiser l'oxygène. Surtout, ne pas se laisser aller à la panique qui vous prend quand vous avez peur d'étouffer. Non, continuer de respirer à tout petits coups réguliers et attendre que l'on vous enlève cette camisole de force qui vous comprime les poumons, ou bien qu'elle tombe peu à peu d'elle-même en poussière.

Mais cette nuit-là, dans le jardin, je respirais à

fond pour la première fois depuis longtemps, depuis Fossombronne-la-Forêt, cette époque de ma vie que j'avais oubliée.

Nous étions arrivés devant l'Aquarium. On devinait à peine le bâtiment dans la pénombre. Je lui ai demandé si elle l'avait déjà visité. Jamais.

« Alors, je vous y emmènerai un de ces jours… »

C'était réconfortant de faire des projets. Elle m'avait pris le bras et j'imaginais, près de nous, tous ces poissons multicolores tournant derrière les vitres dans l'obscurité et le silence. Ma jambe était douloureuse et je boitais légèrement. Mais elle aussi, elle portait son éraflure sur le front. Je me suis demandé vers quel avenir nous allions. J'avais l'impression que nous avions déjà marché ensemble au même endroit, à la même heure, en d'autres temps. Je ne savais plus très bien où j'étais, le long de ces allées. Nous atteignions presque le sommet de la colline. Au-dessus de nous, la masse sombre de l'une des ailes du palais de Chaillot. Ou plutôt un grand hôtel d'une station de sports d'hiver de l'Engadine. Je n'avais jamais respiré un air si froid et si doux. Il me pénétrait les poumons d'une fraîcheur de velours. Oui, nous devions nous trouver à la montagne, en haute altitude.

« Vous n'avez pas froid ? m'a-t-elle dit. Nous pourrions peut-être rentrer… »

Elle serrait le col relevé de son manteau. Rentrer où ? J'ai eu quelques secondes d'hésitation. Mais oui, dans l'immeuble, au bord de l'avenue qui descendait vers la Seine. Je lui ai demandé si elle comptait y habiter longtemps. Environ un mois.

« Et Morawski ?

— Oh... il sera absent de Paris pendant tout ce temps-là... »

De nouveau, il m'a semblé que ce nom m'était familier. L'avais-je entendu dans la bouche de mon père ? J'ai pensé à ce type qui m'avait appelé, un jour, de l'hôtel Palym et dont la voix était brouillée à cause des grésillements du téléphone. Guy Roussotte. Nous avions un bureau avec votre père, m'avait-il dit. Roussotte. Morawski. Lui aussi, apparemment, avait un bureau. Ils avaient tous des bureaux.

Je lui ai demandé ce qu'elle pouvait bien faire avec ce Morawski que l'on appelait Solière dans la vie courante.

« Je voudrais en savoir plus. Je crois que vous me cachez quelque chose. »

Elle gardait le silence. Puis elle m'a dit brusquement :

« Mais non, je n'ai rien à cacher... La vie est beaucoup plus simple que tu ne le crois... »

Elle m'avait tutoyé pour la première fois. Elle me serrait le bras et nous longions le bâtiment de l'Aquarium. L'air était toujours aussi froid et aussi léger à respirer. Avant de traverser l'avenue, je me suis arrêté au bord du trottoir. Je contemplais la voiture devant l'immeuble. L'autre soir, quand j'étais venu seul ici, cet immeuble m'avait semblé abandonné et l'avenue déserte comme si personne n'y passait plus.

Elle m'a dit encore une fois qu'il y avait une grande terrasse et une vue sur tout Paris. L'ascenseur montait lentement. Sa main s'est posée sur mon épaule et elle m'a chuchoté un mot à l'oreille. La minuterie s'est éteinte, il ne restait plus au-dessus de nous qu'une lumière de veilleuse.

Œuvres du même auteur (suite)

En collaboration avec Sempé

CATHERINE CERTITUDE. *Illustrations de Sempé* (« Folio Junior », *n° 600*).

Aux Éditions P.O.L.

MEMORY LANE, en collaboration avec Pierre Le-Tan.
POUPÉE BLONDE, en collaboration avec Pierre Le-Tan.

Aux Éditions du Seuil

REMISE DE PEINE.
FLEURS DE RUINE.

Aux Éditions Hoëbeke

PARIS TENDRESSE, *photographies de Brassaï.*

Aux Éditions Albin Michel

En collaboration avec Catherine Deneuve

ELLE S'APPELAIT FRANÇOISE...

Aux Éditions du Mercure de France

ÉPHÉMÉRIDE (« Le Petit Mercure »).

Achevé d'imprimer
sur Roto-Page
par l'Imprimerie Floch
à Mayenne, le 1ᵉʳ septembre 2003.
Dépôt légal : septembre 2003.
Numéro d'imprimeur : 57568.

ISBN 2-07-073455-2 / Imprimé en France.

Ville de Montréal

МOD

**Feuillet
de circulation**

À rendre le

0 4 DEC. 2003		
0 8 JAN. 2004		
2 7 JAN. 2004		
2 7 JAN. 2004		
0 9 MAR. 2004		
2 0 MAR. 2004		
3 1 MAR. 2004		
2 9 AVR. 2004		
2 8 MAI 2004		
0 9 JUIL. 2004		
0 4 AOUT 2004		

06.03.375-8 (01-03)